Aprenda a ser chefe

MAX GEHRINGER

Aprenda a ser chefe

Um manual de dicas e sugestões para chefes presentes e futuros

COM A INESTIMÁVEL COLABORAÇÃO DE **RENATO GEHRINGER**

Publisher
Luciana M. Tiba

Editor
André L. M. Tiba

Projeto gráfico de capa e miolo
Alberto Mateus

Produção editorial
Crayon Editorial

Dados Internacionais de Catalogação na Publicação (CIP)
(Câmara Brasileira do Livro, SP, Brasil)

Gehringer, Max
Aprenda a ser chefe : um manual de dicas e sugestões para chefes presentes e futuros / Max Gehringer ; com a inestimável colaboração de Renato Gehringer. – São Paulo : Integrare Editora, 2014.

Bibliografia
ISBN 978-85-8211-061-4

1. Carreira profissional – Desenvolvimento 2. Carreira profissional – Mudanças 3. Realização pessoal 4. Satisfação no trabalho 5. Sucesso profissional I. Gehringer, Renato II. Título.

14-09800 CDD-650.14

Índices para catálogo sistemático:
1. Carreira profissional : Desenvolvimento : Administração 650. 14
2. Carreira profissional : Sucesso : Administração 650. 14

Av. Nove de Julho, 5519 – Conj. 22
CEP 01407-200 – Itaim Bibi – São Paulo – SP
Tel. (55) (11) 3562-8590
Visite nosso site: www.integrareeditora.com.br

Pronto para começar?

É possível ser líder sem ser chefe. Mas não ser chefe sem ser líder.

Liderança é a habilidade de unir, inspirar e conduzir pessoas em direção a um objetivo. Essa definição não se aplica apenas a uma carreira profissional, ela é a essência da própria história da humanidade. Quem se der ao trabalho de consultar uma enciclopédia sobre grandes vultos históricos verá que a maior parte deles ganhou fama por ter levado um grupo a um resultado.

No mercado de trabalho, existe muita gente que prefere não ocupar cargos de chefia. Essa é uma decisão pessoal, compreensível e aceitável. Ser chefe dá muita dor de cabeça, e é possível construir uma boa carreira sem ter subordinados diretos. Porém, mesmo quem pensa dessa forma não está isento de entender o que é ser chefe e de aprender a pensar como chefe, porque esse conhecimento facilitará o relacionamento com os colegas e, principalmente, com o chefe direto.

Vamos começar deixando claro que este não é um livro de autoajuda. Não desejo passar a impressão de que você poderá conseguir qualquer coisa apenas com o poder do pensamento positivo, a motivação pessoal e a determinação. Eu também gostaria que o mundo corporativo funcionasse assim, porque ele seria mais simples e menos estressante. De minha parte, eu acredito que já existe muita gente tentando mostrar que as coisas podem ser mais fáceis do que parecem ser. Eu prefiro mostrar aquele lado da questão que você pode não estar considerando por otimismo, desconhecimento ou inexperiência.

O mercado de trabalho é árduo, por vezes chega a ser cruel, e não premia igualmente a todos os que se esforçam. Para cada profissional que terá uma carreira muito bem-sucedida, haverá centenas que tentarão e não conseguirão. O início, porém, é o que os livros de autoajuda pregam: acredite em você. Esse é o primeiro passo. O segundo é você conseguir que os outros acreditem em você. O primeiro passo depende de sua fé. O segundo, de seus resultados práticos. E, principalmente, da aceitação de que uma carreira profissional depende mais do que os outros acham de nós e menos do que achamos de nós mesmos.

Este livro está dividido em duas partes. A primeira é dedicada aos que ainda não são chefes, mas querem saber como poderão vir a ser e, quanto antes, melhor. Nessa seção, vamos tratar do relacionamento do futuro chefe — você — com seu chefe atual. Qualquer que seja o grau de relacionamento ou estranhamento entre vocês, não existe escola melhor para você entender e absorver os detalhes que conduzem um subordinado a um futuro cargo de chefia.

A segunda parte tem como foco aqueles que já são chefes, mas ainda encontram certas dificuldades para lidar com os subordinados em alguns momentos. Por meio de situações que você já viveu, está vivendo, ou irá viver, faremos uma viagem aos labirintos da liderança e da chefia.

Pronto para decolar na carreira? Então, vamos lá. Você escolhe por onde quer começar a leitura.

Aprenda a ser
chefe

SE VOCÊ
AINDA
NÃO É
CHEFE...

Aprenda a ser
chefe

Seja o subordinado que todo chefe gostaria de ter

Há uma dezena de fatores que influem em uma carreira profissional, mas a experiência prática mostra que o primeiro deles, em ordem de importância, é se dar bem com o chefe. Todas as promoções ou são de iniciativa do chefe ou dependem da opinião dele. Por isso, aqui vão os dez mandamentos do bom relacionamento com o chefe.

1. Nunca falar mal do chefe. As orelhas do chefe são do tamanho de todas as paredes e de todos os corredores da empresa.
2. Nunca ofuscar o chefe – seja na roupa, seja no comportamento.
3. Jamais colocar a culpa no chefe, principalmente quando a culpa é dele.
4. Não assumir responsabilidades que são do chefe. Se não existe um subchefe oficial, isso não significa que a função será de quem pegar primeiro.

5. Não tratar o chefe como amigo íntimo na frente de colegas ou de clientes.
6. Jamais interromper o chefe quando ele está falando. Não é que chefes não gostam de ser interrompidos. É que eles detestam.
7. Nunca dizer "Chefe, temos um problema". Isso é o que se chama de delegar para cima. O chefe não quer problemas, quer soluções.
8. Jamais perguntar se um trabalho é urgente. Se o chefe em pessoa pediu, então é muito urgente.
9. Nunca dizer que cometeu um erro porque não entendeu bem o que o chefe tinha pedido. Se o chefe fala em gótico, o subordinado precisa aprender gótico.
10. Nunca tentar explicar aos colegas alguma coisa que o chefe disse. Chefes não apreciam o subordinado porta-voz. Se alguém tem dúvida, deve perguntar diretamente ao chefe.

Neste momento, você pode estar pensando: meu chefe não merece tanta reverência porque ele é um péssimo chefe. Pode até ser verdade, mas não tem nada a ver. Se o chefe não aprendeu a ser um exemplo de chefe, isso não isenta o subordinado de aprender a ser um subordinado exemplar.

Mesmo sem perceber, você estará sendo continuamente avaliado

Algumas empresas fazem uma avaliação anual de desempenho. É um processo formal em que o chefe explica a cada subordinado o que está sendo bem-feito e o que precisa ser melhorado. Muitos funcionários têm a impressão de que essa é a única avaliação feita no transcurso de um ano. Mas não é. Na prática, o subordinado é avaliado diariamente.

Você já deve ter notado que um chefe não trata todos os subordinados exatamente da mesma maneira. Num mundo politicamente correto, o tratamento por parte da chefia não deveria ser exatamente igual para todos? Em termos de respeito, sim. Mas, em termos de carreira, não. Nem no Brasil, nem na Noruega, nem em qualquer lugar do mundo. Isso porque o trabalho de um gestor se divide em duas partes. A primeira tem a ver com o presente. Garantir que o trabalho está sendo feito, e bem-feito. A segunda tem a ver com o futuro. Identificar aqueles funcionários nos quais valerá a pena a empresa investir. Para fazer isso, o gestor está sempre avaliando algumas características pessoais em seus subordinados — geralmente conhecidas como "A lista dos quantos", que é a seguinte:

- O quanto um funcionário influencia os colegas e o quanto é influenciado por eles. Chefes percebem rapidamente quais funcionários são formadores de opinião. Esse é um sintoma de liderança.
- O quanto um funcionário é consultado pelos colegas para assuntos de trabalho. Esse é um sintoma de confiança.
- O quanto um funcionário entende o que vai além da função dele. Esse é um sintoma de visão estratégica.
- O quanto um funcionário se dispõe, sem ser solicitado, a oferecer ajuda. Esse é um sintoma de trabalho em equipe.
- O quanto um funcionário consegue solucionar conflitos sem provocar mais conflitos. Esse é um sintoma de maturidade.
- O quanto um funcionário faz tudo isso sem puxar o saco dos superiores nem prejudicar os colegas. Esse é um sintoma de que o chefe não precisa temer o comportamento nem as atitudes do funcionário.

Em uma empresa séria, um funcionário com avaliações positivas em todos esses "quantos" sempre acaba recebendo mais atenção que os demais porque ele representa o futuro da empresa. Já em uma empresa medíocre, esse mesmo funcionário talvez seja até dispensado porque será percebido como uma ameaça. Que tipo de empresa é a sua? Se for a segunda, talvez seja melhor começar a procurar uma do primeiro tipo, que lhe proporcione as oportunidades que você fará por merecer.

Não se torne um espinho na garganta de seu chefe

Só existem dois motivos para um chefe não gostar de um subordinado: ou o subordinado é incompetente demais, ou é competente demais. No segundo caso, o chefe começa a ficar com medo do potencial do subordinado ou a sentir inveja de tudo o que ele fez na vida e o chefe não conseguiu fazer. Pensando no futuro, essa situação já não é lá muito boa, mas o pior é que muitos subordinados fazem questão de complicar mais ainda.

É claro que nenhum subordinado faz isso por mal e nem está pensando em humilhar o chefe. O subordinado faz tudo isso sem querer e não percebe como essas coisas podem complicar sua vida. Até que, um dia, irá pronunciar a célebre e inevitável frase: "Não sei o que meu chefe tem contra mim". Na verdade tem tudo, porque o chefe passou a ver o subordinado como uma ameaça ambulante. O subordinado não tem culpa de ser melhor que o chefe. Mas é sempre bom lembrar que, quando pensamos no nosso futuro profissional, o chefe direto pode ser tanto uma ponte como uma parede. E chefes menosprezados tendem a ser paredões. Altos e grossos.

Desenvolva sua inteligência política

"Você precisa ser mais político." Você já ouviu isso de seu chefe? Milhares de funcionários ouvem todos os dias. O que o chefe está querendo dizer é que você é um contestador, um rebelde que não aceita determinações e fica querendo desestabilizar o sagrado ambiente de trabalho. Uma vez eu tive um colega, o Serjão, que não sabia ser político. O Serjão era um funcionário tremendamente eficiente, mas tinha aquela mania de ficar criticando tudo o que a empresa fazia, a bem da verdade, com toda razão.

Um dia, depois de ouvir pela centésima vez que precisava ser mais político, o Serjão, para surpresa do chefe, concordou. E disse ao chefe que, para ser político na empresa, ele queria apenas ter os mesmos direitos que um político de verdade tem. E fez uma listinha, que era a seguinte:

1. Estabilidade no emprego por quatro anos, independente dos resultados apresentados.
2. Poder faltar ao expediente sem ter de dar explicações.
3. Contratar parentes, em qualquer quantidade e com bons salários.
4. Isenção de responsabilidade por qualquer promessa feita.
5. Pagamento adicional por reunião que não estava no calendário de reuniões normais.

6. Imunidade contra acusações do pessoal de outras áreas.
7. Liberdade para fazer oposição e criticar a direção da empresa.
8. Poder para definir o próprio salário.

Na verdade, em empresas, ser político é saber engolir sapos, algo que os políticos de verdade fazem muito bem e ainda pedem para repetir o prato. Como ponderava o Serjão, o que as empresas chamam de "ser mais político" é ter todos os deveres de um político, sem nenhuma das vantagens. Para quem quer aprender a ser chefe, a inteligência política é a arte de saber discernir a hora de se comportar como revolucionário da hora de saber ser apaziguador e agregador. A regrinha é a do equilíbrio: quem nunca reclama de nada não chegará a chefe. E quem sempre reclama de tudo, também não.

Não teste a paciência do chefe à toa

Certa vez, aproveitando uma reunião da qual participaram cerca de 50 gerentes de empresas, eu fiz uma pequena pesquisa. Pedi aos presentes que me dissessem quais eram as cinco principais características do subordinado chato. Para minha surpresa, as variações nas respostas foram mínimas, como se existissem mesmo apenas cinco coisas que irritam os chefes. E eu até pensei em escrever um pequeno manual, cujo título poderia ser *Como chatear seu chefe*. Então, para quem está a fim de deixar o chefe profundamente irritado, aqui vão as cinco coisas que mais os incomodam.

1. Entre sem pedir licença. Apareça de repente na frente dele. Se ele levar um susto e derrubar o café, é sinal de que sua entrada foi perfeita.
2. Interrompa o chefe quando ele estiver falando. De preferência, para fazer uma observação que nada adiciona ao assunto, do tipo "É isso mesmo, chefe, concordo inteiramente". Melhor ainda é interrompê-lo quando ele estiver falando ao telefone. Mesmo que o chefe faça aquele sinal de "um momentinho", não pare de falar. E, se ele tapar o ouvido, continue a se comunicar por sinais.
3. Seu problema é sempre mais urgente. Você sempre tem preferência. Não se intimide se a secretária do

chefe disser para você voltar depois porque ele está muito ocupado. Chefe tem mais é de estar disponível.

4 Nunca vá direto ao assunto. Diga que tem algo urgente para tratar e comece a falar. Cinco minutos depois, quando o chefe estiver interessadíssimo, diga que, verdade, você tinha vindo falar de outra coisa.

5 Se você entendeu tudo e não tiver nenhuma dúvida, mesmo assim faça perguntas. E, no caso de o chefe chegar afobado, suando, com a voz alterada, e lhe pedir alguma coisa urgente, pergunte com calma: "Pode ser depois do almoço?"

Você quer ter um chefe irritado? É fácil. Mas, para a sua carreira, não é sábio.

Seja criativo na hora certa

Esta história é verdadeira, e me foi contada por um selecionador de pessoal de uma empresa multinacional. Foi assim. A empresa tinha duas vagas em aberto, uma para chefe e outra para assistente. E apareceram muitos candidatos, bem mais para assistente do que para chefe, na proporção de cinco por um, tornando bem difícil a missão dos candidatos a assistentes, porque a concorrência era enorme. Aí, entra candidato e sai candidato, e nenhum parecia ser bom o suficiente. Os que queriam ser chefes não tinham liderança e os que queriam ser assistentes eram muito limitados. O selecionador já estava ficando preocupado, quando chegou um candidato a chefe. E o selecionador fez aquelas perguntas de sempre. Por exemplo, "Por que você acha que conseguiria ser um chefe eficiente?"

E o candidato respondeu: "Bom, eu tenho todas as características que um chefe precisa ter. Eu gosto de mandar nas pessoas. Eu gosto de ficar sem fazer nada enquanto os outros trabalham. Eu gosto de ficar escrevendo relatórios em vez de tomar decisões. E, acima de tudo, eu adoro reuniões. Sou capaz de passar horas numa sala de reunião, só falando e escutando, sem perder o pique. Tudo o que eu preciso é de um assistente eficiente que faça todo o trabalho por mim". O selecionador, é claro, ficou pasmo. E disse para o candidato que, falando daquele jeito, ele não seria contratado como chefe em nenhuma empresa do mundo.

E o candidato respondeu: "É verdade. Mas o senhor deve concordar comigo que eu entendo muito bem o que é ser chefe. Por isso mesmo, qualquer chefe gostaria de ter um assistente como eu". E o candidato conseguiu a vaga que realmente estava querendo: a de assistente. Ele só havia se candidatado a chefe para mostrar que sabia o que um chefe esperava de um bom assistente. Menos de um ano depois, ele foi promovido a chefe.

Divirta-se com a hierarquia, em vez de se irritar com ela

Entre outras coisas, a diferença entre ser chefe e ser subordinado é uma questão de como se interpretam comportamentos semelhantes, de um e de outro, em situações iguais. Aqui vão alguns exemplos:

- Se o subordinado deixa de fazer uma tarefa, ele é preguiçoso. Se o chefe deixa de fazer uma tarefa, ele é muito ocupado.
- Se o subordinado demora para fazer um trabalho, ele é lento. Se o chefe demora para realizar um trabalho, ele é analítico.
- Se o subordinado faz alguma coisa fora da rotina, ele está invadindo a área dos outros. Se o chefe faz a mesma coisa, ele demonstra iniciativa.
- Se o subordinado não muda de ideia, ele é teimoso. Se o chefe não muda de ideia, ele é conservador.
- Se o subordinado muda, ele é volúvel. Se o chefe muda, ele é progressista.
- Se o chefe grita, ele mostra autoridade. Se o subordinado grita, ele é histérico.
- Se o chefe erra, ele é humano. Se o subordinado erra, ele é distraído.

- Se o funcionário bate papo, ele está enrolando. Se o chefe bate papo, ele está estreitando o relacionamento interpessoal.
- Se o chefe faz muitas ligações externas, isso chama *networking*. Se o subordinado faz muitas ligações externas, a empresa bota um cadeado no telefone.
- Se o chefe não veio trabalhar, ele está doente. Se o subordinado não veio trabalhar, ele está fingindo estar doente.
- Se o chefe diz que pretende um dia chegar a presidente da empresa, ele tem ambição. Se o subordinado diz que pretende um dia chegar a chefe, ele é uma ameaça.
- Se o chefe fica muito tempo no mesmo cargo, ele está acumulando experiência. Se o subordinado fica muito tempo na mesma posição, ele vai ter problemas de coluna.

Há duas maneiras de encarar essas diferenças hierárquicas. Uma é se revoltar e ficar reclamando que a vida não é justa. A outra é aprender o conceito de hierarquia se divertindo com ele, porque um dia a vida será igualmente justa para todos neste mundo, mas isso dificilmente irá acontecer ainda neste século.

Não fique onde você não se encaixa

Uma pergunta que se faz muito hoje em dia é esta: por que tantos incompetentes são promovidos em empresas, enquanto os competentes são passados para trás? E a resposta é: porque existem duas definições de competência. Uma é a definição da empresa e a outra é a definição dos empregados. Um subordinado acha que seu chefe deve ser um líder que desenvolve pessoas, que sabe delegar responsabilidades e acredita nos subordinados. Já a empresa pode não pensar nada disso. Para ela, o chefe eficiente é aquele que sabe mandar, nem que seja no grito, é centralizador, não escuta ninguém e só pensa nos resultados imediatos, mesmo que para isso tenha de esfolar seus subordinados. Uma empresa que pensa assim está errada, do ponto de vista dos manuais de recursos humanos que copiamos dos americanos, mas também pode estar certa se o seu foco for a sobrevivência de curto prazo, num país cheio de solavancos como o Brasil.

Para o subordinado, um chefe incompetente é um atraso de vida. Para a empresa, ele é um troglodita com uma causa. Existem muitas empresas que realmente acreditam em fatores positivos como motivação, cooperação, ambiente saudável, diálogo e orientação, e tentam colocá-los em prática. Mas a soma de tudo isso não significa necessariamente sucesso, assim como a empresa que tem chefes obtusos não será necessariamente um fracasso, se sucesso e fracasso forem medidos apenas pelos resultados financeiros. Portanto, tudo depende da filosofia da empresa. Se você quer ser chefe, deve começar avaliando muito bem o comportamento e o estilo dos chefes da empresa na qual você trabalha. Isso porque, se você um dia você for promovido, terá de agir como eles agem. Se o modelo de chefia de sua empresa nada tem a ver com você, não espere para ver se um dia conseguirá mudar a empresa. O mais sensato para sua carreira é mudar o quanto antes para uma empresa cujos chefes se pareçam com o que você quer ser quando se tornar chefe.

Acredite no próximo, mas saiba se precaver

Todo mundo conhece a história do ovo de Colombo. Mas a história por trás da história é ainda melhor. A história mais repetida diz que o Cardeal Mendoza, da Espanha, ofereceu um banquete após Colombo ter descoberto a América — que, na época, ainda não chamava América, mas Novo Mundo. Como muita gente invejosa havia sido convidada para a boca-livre, algumas pessoas se puseram a diminuir os méritos de Colombo, dizendo que qualquer um, com um barquinho e um pouco de sorte, poderia ter chegado aonde Colombo chegara. Colombo, então, os desafiou a colocar um ovo em pé. O garçom, que na época também não chamava garçom, mas Juan, providenciou um ovo fresquinho e todo mundo tentou, mas ninguém conseguiu. Porque ninguém pensou no que Colombo faria a seguir — quebrar uma das extremidades do ovo. Moral da história: depois que alguém mostra o caminho, é fácil segui-lo.

A história é ótima, mas os historiadores afirmam que o verdadeiro pai do ovo não foi Colombo. Foi um arquiteto italiano da Renascença, Filipo Bruneleschi, que havia feito o mesmo truque alguns anos antes. Colombo, que era italiano, sabia da história. Mas os espanhóis não sabiam e ficaram encantados com a criatividade de Colombo. Segunda moral da história: quando uma ideia é boa e sua autoria é duvidosa, leva vantagem quem tem mais prestígio.

No mundo corporativo, é muito comum um funcionário ter uma ideia e apresentá-la ao chefe. Aí, o chefe diz que a ideia não é boa e pede ao funcionário para esquecê-la. Ou diz que irá pensar a respeito e oportunamente dará uma resposta. Tempos depois, o chefe apresenta a ideia como se tivesse sido dele, e não do funcionário. Terceira moral da história: só bote um ovo em pé na mesa de seu chefe se houver testemunhas.

Livre-se do complexo de mudez

Apesar de toda a tecnologia, em empresas nós continuamos a nos comunicar e a resolver os problemas mais sérios utilizando o chamado "sistema verbal de interlocução". Isto é, nós conversamos uns com os outros. Além disso, é falando que defendemos ideias, fazemos apresentações, construímos alianças, damos explicações, entabulamos negociações. Por isso, é preciso aprender a falar bem. E isso certamente deixa muita gente apavorada. "Eu tenho pavor de falar em público", já ouvi de muitos funcionários com ótimo potencial que acabaram ficando para trás na carreira porque não conseguiram superar esse pavor da retórica.

Nos primeiros dez anos de minha vida profissional, eu também sentia um medo irracional de falar em público. Qualquer público, mesmo que fosse só de meia dúzia de pessoas. E isso vinha desde os tempos de escola. Se o professor fizesse uma pergunta, eu até podia saber a resposta, mas ficava ali, travado na cadeira. Meu cérebro me mandava responder, mas minha boca não obedecia. Aí, outro aluno dava a mesma resposta que eu ia dar, recebia um elogio e eu ficava me sentindo um perfeito idiota. E prometia a mim mesmo que, na próxima vez, eu iria criar coragem. Mas não criei. Entrei no mercado de trabalho sabendo que isso era uma deficiência que eu tinha de corrigir.

Meus medos só acabaram quando, um belo dia, eu fui escalado para fazer uma apresentação sobre nossa empresa para uma plateia de executivos. Por que eu e não alguém que gostasse de falar em público, eu não sei. Até imaginei que meu chefe estava querendo prejudicar a minha carreira. Quando olhei para a sala, gelei. Tinha umas 200 pessoas. E, cinco minutos antes de entrar em cena, eu já tinha virado geleia. Minhas mãos estavam frias, e eu tremia e suava. Pensei seriamente em simular um ataque cardíaco, ou em engolir uma caneta esferográfica, só para me livrar daquela tortura. Foi quando meu chefe me disse três coisas que mudaram tudo. Primeira, eu iria falar em meu próprio idioma. "Imagine", meu chefe disse, "se você tivesse de falar em chinês ou em esloveno." Segunda, eu iria falar sobre um assunto que eu conhecia e dominava. "Imagine", disse meu chefe, "se você tivesse de falar sobre física quântica." Terceira, a plateia era receptiva. Ninguém ali tinha combinado me vaiar ou apedrejar assim que eu aparecesse no palco. Fui, fiz a apresentação, saí aplaudido e depois fiquei pensando por que tinha perdido tanto tempo me torturando por não saber fazer algo que qualquer um pode fazer. E que todo chefe precisa saber fazer.

Valorize o que você faz, não importa o que você faça

No começo da carreira, é comum a gente reclamar que poderia estar fazendo algo mais desafiador do que aquilo que estamos fazendo. Por um lado, isso mostra ambição. Mas, por outro, desprestigiar o próprio trabalho não vai ajudar a conseguir outro mais importante. Então, vou contar uma historinha rápida. Um dia, tive a oportunidade de participar de um congresso brasileiro que reuniu técnicos de laboratório clínico. Um pessoal especializado em análises. E, lá pelas tantas, eu me vi fazendo parte de um grupo no qual havia vários técnicos especialistas em exames de fezes. Com certeza, esse não era o assunto mais apropriado para uma conversa após o jantar, mas o assunto acabou girando em torno daquela atividade que, no mínimo, não cheira bem. E eu percebi que existiam três opiniões bem diferentes entre os especialistas ali presentes. Um deles foi claro e direto, e disse que seu trabalho era todo dia aquela mesma "eme". Outro foi mais científico e disse que sua tarefa consistia em análises parasitológicas em equipamentos de última geração tecnológica. Mas foi o terceiro que mais me chamou a atenção. Ele disse que sua função era muito nobre porque dela dependiam a prevenção e o tratamento de doenças em seres humanos.

"Incrível", pensei comigo, enquanto traçava meu pudim. A mesma atividade, e três visões diferentes. Exatamente a mesma coisa que acontece com qualquer função em qualquer empresa. Tem gente que prefere enxergar só o lado negativo daquilo que faz. Outros gostam de florear. E tem gente que vê o trabalho que faz como parte de um objetivo muito maior e mais importante. A experiência mostra que as pessoas do primeiro tipo, os que só reclamam, vão ficar fazendo o mesmo trabalho a vida inteira. As pessoas do tipo dois, as mais científicas, viram chefe dos que só reclamam. Mas são os que enxergam mais à frente que se tornam chefe das outras duas.

Encare frustrações como aprendizado, não como castigo

Uma bela maneira de começarmos o aprendizado para ser chefe é o de lidarmos com um chefe que não espelha o que esperamos de um chefe e nem de longe se parece com aquilo que queremos ser quando assumirmos nossa primeira chefia. Por exemplo, você é energético, criativo, desbravador, cheio de ideias e adepto de mudanças. E o seu chefe é um conservador de carteirinha. Ele não acredita em novidades. Acha que novos métodos são apenas enrolação para vender livros ou consultorias. Ele se recusa a aprender coisas óbvias e necessárias para o mercado de trabalho, como idiomas ou informática. Mas o pior mesmo é que ele rejeita sugestões. Qualquer sugestão que não seja a de deixar tudo como está. Para o chefe conservador, não existem alternativas. Ele se orienta pelo que já foi feito e deu certo.

E o subordinado de um chefe assim acabou sendo quem? Você, que foi contratado depois de um processo de seleção duríssimo e conseguiu a vaga porque mostrou ser energético, criativo e ambicioso. Só que, para o chefe conservador, tudo o que era virtude na seleção agora virou defeito. Ele diz que você só reclama, quando na verdade está só tentando propor alternativas mais viáveis, mais progressistas e mais baratas para coisas que vêm sendo feitas do mesmo jeito desde os tempos das barbas de Dom Pedro. O que você deve fazer? Pedir a conta? Talvez, mas, se os outros chefes da empresa não forem tão conservadores como o seu, você pode usar esse tempo para aprender. Se você é um profissional do século 21 com um chefe do século 19, encare sua situação como uma experiência passageira, e não como um castigo eterno. Conviver temporariamente com chefes que não são o modelo que você pretende seguir só irá ajudá-lo a reforçar suas convicções. E sua paciência.

Exercite sua criatividade sem ferir a suscetibilidade do chefe

De modo geral, empresas apreciam funcionários criativos. E os funcionários, em sua maioria, acreditam que são criativos. Mas reclamam que, na prática, têm poucas oportunidades para demonstrar essa criatividade. Você pode estar cansado de oferecer soluções criativas em sua empresa, porque todas elas são ignoradas. Principalmente pelo seu chefe imediato. Se for esse o caso, será que existe uma maneira eficiente de apresentar uma proposta criativa ao chefe?

Sim, existe. Pense em criatividade separando o conceito em três partes. Conhecimento, curiosidade e imaginação. A pessoa criativa precisa, primeiro, conhecer muito bem todos os detalhes de um processo. Depois, precisa ter uma boa dose de curiosidade, que se resume numa pergunta: dá para fazer isso de outro jeito? E, finalmente, vem a imaginação, que é a maior dádiva do criativo. Ele vê o que os outros não enxergam. Mas, normalmente, a coisa emperra já no primeiro passo. O conhecimento. Um chefe com 20 anos de experiência pode até não ter imaginação nem curiosidade, mas com certeza possui um conhecimento muito grande. O que acontece é que os subordinados criativos já chegam apresentando ao chefe o terceiro passo. A solução criativa, que nasceu da imaginação. E é aí que o chefe trava. Ele primeiro precisa ser convencido de que o subordinado tem um conhecimento profundo do assunto, mas o subordinado insiste em pular essa etapa.

Então, da próxima vez, em vez de chegar e dizer "Chefe, tive uma ideia", comece a conversar com ele sobre o processo. É chato, mas é necessário. Em seguida, tente despertar a curiosidade dele para uma solução alternativa. Faça até o sacrifício de pedir sugestões, mesmo sabendo que não haverá nenhuma. E só aí apresente a sua sugestão criativa. E, é claro, se a sua ideia for colocada em prática e der certo, exagere os méritos do chefe. Essa é a maior garantia de que ele estará mais disposto a ouvir suas sugestões criativas seguintes. Se, como subordinado, você preferiria pular essas etapas políticas e ir direto ao ponto, será que irá manter essa convicção quando for chefe e um subordinado invadir sua sala com uma grande ideia?

Defina o setor que você gostaria de chefiar

Muitas carreiras se desenvolvem por inércia. O funcionário é admitido em um setor e vai encontrando seu espaço dentro dele, até merecer uma oportunidade de chefiá-lo. Mas é importante encontrar um setor em que suas habilidades serão mais bem aproveitadas. Depois da primeira promoção, uma eventual mudança para outra área da empresa começa a ficar mais difícil.

Portanto, enquanto você ainda não é chefe, comece a prestar atenção nos demais departamentos de sua empresa, principalmente se ela for de porte médio ou grande. Uma coisa que você irá notar é que, em qualquer empresa, a importância do ocupante de uma função depende de duas coisas. A primeira é: quanto ele pode gerar de faturamento adicional. E a segunda, tão importante quanto a primeira, é: que estragos ele pode causar?

Quanto mais uma área puder influir no faturamento, maior o prestígio do ocupante do cargo. É o caso de vendas e de marketing. E, quanto mais uma área puder gerar de prejuízo, também. É o caso da fabricação e de finanças. A área administrativa influi menos. Ela é importante, sem dúvida, mas é baseada na rotina. Por isso, seu principal objetivo é o empate. O diretor administrativo tem um orçamento mensal de gastos e deve manter-se dentro dele. E a possibilidade de oscilação é pequena porque todas as despesas são previamente conhecidas e se repetem todos os meses.

Portanto, ganha mais e tem mais prestígio quem pode causar grandes alegrias. Ou grandes encrencas. Mas as áreas mais prestigiadas (ou mais comentadas) são também aquelas que sofrem maiores pressões. A área comercial, principalmente, costuma ser o alvo preferencial das pressões de toda a empresa, incluindo até o porteiro, por números melhores. Ela é também, até por consequência, a área com o maior índice de rotatividade. Muita gente espana porque não aguenta o repuxo. Se isso não o assusta, considere uma carreira na área comercial. Se preferir um trabalho mais rotineiro, opte pela área administrativa. Se tiver um perfil mais técnico, prefira a fabricação e as finanças. O importante é fazer a escolha certa enquanto é tempo, para evitar ter de recomeçar em outra área.

Defina que tipo de chefe você pretende ser

Eu convivi com dois gerentes que compartilhavam da mesma visão sobre os negócios da empresa. Mas eles tinham comportamentos opostos. Um deles era movido pela paixão. Era comovente ouvir aquele gerente defender seus pontos de vista. Ele se inflamava ao falar e, depois de cinco minutos de argumentação, convencia qualquer plateia. Já o outro gerente não tinha um pingo dessa paixão, mas tinha algo que faltavo no primeiro. Números. Nem bem o gerente apaixonado tinha terminado de falar, o gerente numérico abria uma planilha e passava cinco minutos mencionando dados concretos.

Obviamente, um não gostava do outro. Às vezes, um ganhava a discussão. Outras vezes, o outro levava a melhor. Demorou anos para ambos compreenderem que eles não eram adversários. Eram aliados. Quando os dois finalmente se juntaram, tudo ficou mais simples. Um providenciava os números e o outro os defendia com paixão. Separados, eles provocavam conflitos. Juntos, convenciam a qualquer um. No trabalho, paixão é fundamental. Mas só ela não resolve. "Paixão" é uma palavra que, em sua origem, significava "sofrimento"; por isso que a Paixão de Jesus ganhou esse nome. Pelo mesmo motivo, nas empresas, quem só tem paixão sofre porque pode ser desmentido pelos números. E quem só tem números não apaixona ninguém porque é monótono.

Alexandre, o Grande, fazia belos discursos para seus soldados antes das batalhas e sempre terminava exortando bravura, coragem e paixão. Mas ele sempre começava o discurso mencionando que seu exército tinha milhares de homens a mais que o exército inimigo. Como o grande Alexandre provou, com paixão é possível conquistar o mundo, desde que essa paixão seja sustentada por números confiáveis. Por isso, se você for apaixonado ou numérico, suas chances de ser um grande chefe aumentarão muito se juntar as duas coisas.

Não menospreze seus concorrentes bajuladores

Todo mundo conhece alguém que poderia ser definido, tecnicamente, como bajulador. Ou, mais comumente, como puxa-saco. Em latim, *bajulus* significava "carregador". Durante séculos, esse foi o nome dado ao empregado que retirava as mercadorias dos navios e as transportava, nas costas, para os armazéns do porto. Ou vice-versa. E aí chegamos ao Brasil, no início do século 20. Como a maioria das mercadorias que circulavam por nossos portos vinha acondicionada em sacas, surgiu uma expressão mais popular para a tarefa, "puxar sacos". Assim como motoristas de caminhão, até hoje, se referem a seu trabalho como "puxar carga".

Portanto, "bajulador" e "puxa-saco" eram dois termos positivos, usados para definir "um esforçado trabalhador". No porto de Santos, os carregadores recebiam por saca de café carregada e sempre havia quem se arriscasse a levar até cinco sacas nas costas — ou 300 quilos — de uma só vez para melhorar um pouquinho o salário. Mas, no fim, como era de esperar, o empregado acabava ganhando uma miséria. Quem ficava com todo o lucro era o patrão. E foi só uma questão de tempo para que "bajular" e "puxar saco" ganhassem a conotação pejorativa de "esforçar-se até o limite extremo só para fazer a felicidade do patrão".

Hoje em dia, nas empresas, o esforço físico dos puxa-sacos foi substituído pela nobre arte de elogiar o chefe.

É verdade que o puxa-saco é um ser desprezível, mas não se deve subestimá-lo. Assim como o bajulador que mais puxava sacos era o que caía nas graças do patrão, também o puxa-saco de hoje pode conseguir, com sua conversa fiada, o que bons funcionários não conseguem com sua competência. E por que isso acontece? Porque são raros os seres humanos que não gostam de receber um elogio, mesmo que vazio. E chefes, embora alguns não deem essa impressão, também são seres humanos. Em sua caminhada para se tornar chefe, você encontrará concorrentes cujo maior trunfo será a arte de bajular. Você certamente não pretende usar essa vil artimanha para subir na vida, mas nem por isso pode simplesmente ignorar quem for utilizar a bajulação como principal estratégia.

Como você irá motivar seus futuros subordinados?

Quando você for o chefe, precisará ter uma equipe altamente motivada. Motivação é "um conjunto de boas razões para alguém decidir se mover de onde está e fazer alguma coisa útil". É isso que a palavrinha latina *movere* quer dizer: "mexa-se". Chefes precisam motivar seus subordinados para que eles alcancem os objetivos. A questão é que a lista dos motivos dados pelos chefes para que ele se mexam nem sempre os entusiasma. E isso se deve ao fato (que as empresas relutam em admitir) de que os funcionários não trabalham para o sucesso da empresa. Eles trabalham para o sucesso de si mesmos. Seu principal objetivo não é o futuro da empresa. É a construção de seu futuro e de suas famílias.

Por isso, os chefes que melhor conseguem motivar seus subordinados são os que mostram o que se pode ganhar com mais motivação. E existem dois tipos de chefe: os que pregam que o sucesso da empresa poderá resultar no sucesso de cada um e os que acreditam que o sucesso de cada um é que fará o sucesso da empresa. No primeiro caso, o recado do chefe é: "Trabalhem mais, que um dia a recompensa virá". No segundo, o chefe procura maneiras imediatas de reconhecer e premiar os que mais se destacam. Não por acaso, os chefes do segundo grupo são os que constroem equipes mais motivadas. Você certamente sente isso como subordinado e só precisa não se esquecer disso quando for chefe.

Entenda como funciona a escadinha das promoções

Vamos dizer que você entrou em uma empresa como auxiliar júnior. Depois de um ano, foi promovido a auxiliar pleno, e já sabe que o próximo degrau será o de auxiliar sênior. Desconfiado, porque já foi promovido uma vez mas parece não ter saído do lugar, você decide investigar e descobre que o próximo cargo do organograma é o de assistente, que também tem os três degraus, o júnior, o pleno e o sênior. Depois vem o cargo de analista e mais três degraus. Como isso parece não ter fim, você se pergunta quando poderá dizer que é um chefe de verdade.

Empresas organizadas costumam ter um Plano de Carreira e cada função é dividida em três etapas, cada uma com uma faixa salarial mais alta que a anterior. Mas uma promoção, mesmo, de verdade, ocorre em instâncias bem definidas. Se você não tem subordinados e passa a ter um par deles, você foi promovido. Quando seus subordinados tiverem subordinados, essa será sua segunda promoção. Todas as etapas intermediárias podem ser vistas como aquecimento para uma promoção, embora deem a impressão de ser promoções de fato. De qualquer forma, você deve ficar satisfeito com essas passagens de júnior para pleno e sênior porque elas mostram que você está caminhando no rumo certo. Só se preocupe se, a cada mudança de nomenclatura, você não receber um aumento de, no mínimo, 15%. Se não receber, o que está errado não é o nome dos cargos. É a falta da contrapartida financeira.

Você está perto ou longe de uma promoção?

Por que um funcionário exemplar, que sempre foi fiel à empresa e que sempre conseguiu bons resultados, muitas vezes é passado para trás na hora de uma promoção? Por que a empresa resolve contratar alguém de fora, ou, pior ainda, promover alguém de dentro, mas menos competente? Isso é justo? A resposta talvez não agrade a quem já viveu, ou está vivendo, uma situação desse tipo. A decisão da empresa não é baseada apenas no que o funcionário fez no passado. É baseada, principalmente, no que ele pode fazer no futuro. O bom desempenho de um funcionário através dos anos é compensado com salários e gratificações. Pode-se dizer que um bom passado é o que garantiu o emprego até agora. Mas a carreira profissional é como uma escada irregular. Alguns degraus são mais curtos, outros são mais longos. Os primeiros degraus são baixos e fáceis de subir, os últimos são bem mais altos e mais difíceis.

Para ser promovido, um funcionário precisa demonstrar, na prática, que já está com um pé no degrau seguinte. A empresa precisa ver nele certas características que sua função atual não exige, mas que o próximo degrau irá exigir. Por exemplo, liderança, planejamento e escolaridade. Se a empresa não enxerga claramente essas precondições, ela prefere manter o funcionário onde ele está. Porque promovê-lo seria arriscado tanto para a empresa quanto para o próprio funcionário. Essa é a regra. Um funcionário é respeitado pelo o que foi. E é promovido pelo que poderá ser. Isso, evidentemente, é mais uma aposta do que uma certeza. Uma parcela dos que são promovidos irá decepcionar, mas esses casos serão minoria porque as empresas sempre acertam muito mais do que erram. Mas, voltando ao seu caso, que é o que realmente interessa: você está apenas fazendo muito bem o seu trabalho, ou está se preparando para ser promovido? Você já sabe tudo o que sua empresa espera de um chefe, para ter os atributos necessários quando a oportunidade surgir? Se não sabe, não custa perguntar ao seu chefe, a alguém da área de recursos humanos, ou a ambos.

Cuide bem de sua imagem profissional

Qualquer profissional, não importa o cargo nem se ocupa um cargo, precisa estar sempre construindo uma imagem positiva. No médio e no longo prazos, essa imagem terá muita influência em oportunidades e promoções. Acontece que muitos profissionais, tecnicamente competentes, acabam se complicando na carreira porque ficam marcados por atitudes que poderiam ter sido facilmente evitadas. Vamos a uma lista das cinco principais:

1. Prometer demais. É o famoso "deixa comigo". Na hora da promessa, todo mundo fica impressionado. Mas, se os resultados ficarem abaixo das promessas, mesmo que tenham sido bons, a imagem que fica é de alguém que não cumpre o que promete.
2. Falar sem ter certeza. Por exemplo, em reuniões, citar números na base do chute. Ou passar uma informação adiante sem ter conferido se ela estava correta. Com o tempo, isso gera falta de confiança e cria a imagem de alguém inconsequente.
3. Argumentar sem necessidade. Muita gente não quer perder uma discussão por nada neste mundo, mesmo quando concordar não cause nenhum estrago. Essa é a diferença entre a persistência, que é positiva, e a teimosia, que é negativa.

4. Esquecer de quem ajudou. Isso ocorre quando alguém é elogiado por um trabalho e não menciona os colegas que contribuíram para que tudo saísse bem-feito. A imagem que fica é a do individualista mesquinho.
5. Criticar o trabalho alheio. Alguém que sempre acha um defeito no que os colegas fazem ganha fama de invejoso, ou de cricri.

Fazer uma dessas cinco coisas, de vez em quando, é até normal. Mas fazer qualquer uma delas, repetidamente, acaba criando um rótulo. Que gruda e não sai mais. Evidentemente, as pessoas que ficam rotuladas sempre atribuem a estagnação na carreira a outros fatores, como colegas sem noção e chefes incompetentes. É claro que, na vida corporativa, imagem não é tudo. Mas na hora de uma promoção é, pelo menos, a metade. Por isso, não permita que suas chances de se tornar chefe sejam prejudicadas por detalhes que você pode facilmente evitar.

Estude. Estude. Estude.

Há um par de anos, um levantamento feito pelo IBGE mostrou que, no Brasil, 73% dos ocupantes de cargos de chefia, em empresas públicas ou privadas, não têm curso superior. Muita gente ficou estarrecida ao saber disso, mas também teve quem se animou. Afinal, se um diploma de curso superior não parecia ser um impedimento para atingir um nível de chefia, então por que continuar estudando?

Calma. Essa pesquisa precisa ser entendida como uma fotografia que registra um instante no tempo e não uma situação estática de longo prazo. A foto apenas revelou que 73% dos chefes atuais são remanescentes de uma época em que o curso superior ainda não era necessário. Se todos esses chefes, por qualquer motivo, perdessem o emprego hoje, a maioria deles encontraria muitas dificuldades para conseguir outro semelhante. Para quem está nos passos iniciais da carreira o estudo acabará fazendo toda a diferença, principalmente porque, na média do mercado de trabalho, quem estuda mais ganha mais. O que a pesquisa dos 73% realmente mostra é que 27% dos chefes já têm curso superior. Há 30 anos, eles eram menos de 15%. Daqui a 30 anos, provavelmente serão quase todos. Estudar é vital para quem quer ter uma carreira sólida e ascendente. Não apenas com um curso superior, mas também com cursos complementares de especialização. Se há um investimento que irá dar retorno na vida profissional, é o da formação acadêmica.

Lute contra a estagnação

Vamos imaginar um profissional por volta dos 25 anos de idade que trabalhe desde os 18. Sete anos de experiência executando a mesma função de quando foi contratado. Esse profissional nunca recebeu uma crítica do chefe, mas ainda não teve uma oportunidade real de crescimento profissional. Muito provavelmente, ele deve estar se perguntando se a vida corporativa é assim mesmo ou se é ele que está marcando passo na carreira. A resposta é simples. Se estamos falando de alguém com ambição para galgar um posto de chefia, a vida corporativa não é assim mesmo. Nesses sete anos, alguma coisa já deveria ter acontecido. Se não aconteceu absolutamente nada, isso é um sintoma de que algo está errado. Ou com a empresa ou com o profissional.

A estagnação, um mal que aflige uma razoável parcela de profissionais nos primeiros anos de carreira, pode ser identificada por meio de algumas situações rotineiras. Vamos a elas, para você poder avaliar se este pode ser também o seu caso:

1. Seu chefe não pede a sua opinião.
2. Se você dá sua opinião e ela não é considerada.
3. Seu chefe nunca conversou com você sobre seu desempenho, sobre sua carreira ou sobre um possível treinamento que a empresa poderia lhe oferecer.
4. Seu chefe nunca lhe perguntou se você tem planos de continuar estudando.

Agora, vamos ao diagnóstico da situação. Se os seus colegas estão sendo tratados da mesma maneira que você, o problema é que sua empresa é meio parada. Mas, se um de seus colegas teve uma oportunidade e você não, isso quer dizer que seu chefe não está acreditando em seu potencial. O que você deve fazer é conversar com ele e perguntar, numa boa, o que ele sugere que você faça para merecer uma oportunidade.

Se ele responder que tudo está bem, que você está ansioso demais e precisa ser mais paciente, isso pode não parecer uma resposta concreta, mas é. O que seu chefe está dizendo é que provavelmente tudo ficará igual nos próximo sete anos. Nesse caso, se você acredita mesmo em seu potencial, arrisque uma mudança de empresa. Antes dos 25 anos, qualquer profissional ainda está com uma idade que lhe permite correr riscos. Arriscar sempre traz embutida uma dose de incerteza, mas ainda é melhor tentar e não dar certo do que passar mais sete anos na dúvida.

Não cometa erros elementares

Existem dois erros fundamentais que podem prejudicar uma carreira e ambos são fáceis de evitar. O primeiro é o mau relacionamento com o chefe. Qualquer funcionário, independente do cargo que vá ocupar na empresa, é contratado com a função de ser uma peça dentro de um sistema. E cada um desses sistemas internos gira em torno de uma pessoa, o chefe imediato. Portanto, a opinião de um funcionário sobre seu chefe não altera a hierarquia. Mesmo que o funcionário deteste o chefe como pessoa ou tenha restrições quanto à competência dele, é preciso saber manter um relacionamento civilizado e respeitoso. Sem o apoio do chefe, a carreira não engrena.

O segundo erro é colocar o foco sempre em si mesmo. O foco deve ser colocado nos resultados da empresa. Quando o funcionário dirige o foco sobre si mesmo e tenta ser sempre o personagem principal de qualquer situação, ele perde a simpatia de seus colegas de trabalho. Porque colegas de trabalho não são uma plateia. São atores de igual talento, atuando na mesma peça e no mesmo palco. Uma característica do funcionário centrado em si mesmo é a crítica constante ao sistema. Ele reclama que as coisas não estão acontecendo como ele gostaria nem na velocidade desejada. Mesmo que, por vezes, alguém não receba todos os méritos pelo trabalho que executa, sair falando mal do sistema não é a maneira mais inteligente de mudá-lo.

Também é bom lembrar que o crescimento profissional sempre é bastante enfatizado durante um processo de contratação. Mas nenhum funcionário, até hoje, foi contratado com o objetivo primordial de construir uma carreira. Essa é a consequência, e não a causa. Uma carreira bem-sucedida começa com duas providências elementares. Ganhar a confiança do chefe e conseguir o respeito dos colegas. Quem não consegue isso até poderá chegar a uma chefia algum dia, mas será muito, muito mais difícil.

Saiba como lidar com seus erros

Errar é fácil. Faz parte da vida profissional. Admitir um erro já é mais difícil. Muitos profissionais passam horas tentando encontrar maneiras de esconder um erro, quando poderiam confessá-lo em um minuto. Porque ninguém gosta de parecer ignorante. Ou incompetente. Mas a verdade é que tentar esconder um erro e ter de dar explicações quando ele for descoberto são dois erros. Num caso desses, o erro original seria perdoado. Já o erro da dissimulação, dificilmente será.

Aprender a lidar com os próprios erros é um dos maiores sinais de maturidade profissional. Porque errar todo mundo erra. E por que os erros acontecem? Por quatro motivos.

1 Superestimar a própria capacidade. Acontece com pessoas que tentam fazer várias coisas ao mesmo tempo imaginando que podem dar conta de tudo.
2 Subestimar o problema. Acontece com quem tem um problema novo pela frente e um histórico de sucessos atrás de si. A autoconfiança é tanta que o problema fica parecendo menor do que realmente é.
3 Esperar para ver. Dar um tempo para que o problema se resolva sozinho. Acontece com quem é otimista. Normalmente, os pessimistas erram menos porque eles sempre acreditam que alguma coisa vai sair errada.

4 Não juntar todos os dados possíveis. Acontece com quem acha que uma situação é mais ou menos parecida com várias situações anteriores e não se preocupa em levantar todos os detalhes.

Aprender a lidar com os próprios erros é um dos melhores sinais de boa maturidade profissional. Como falta de maturidade é um dos pontos negativos que mais retardam promoções, uma dica é nunca culpar o próximo, ou pior, os agentes indeterminados. Por exemplo, dizer "Eu avisei, mas ninguém fez nada" não é uma justificativa para um erro. É apenas outro erro.

Potencialize o seu principal talento

Cada vez mais, as empresas falam em promover gente com talento. Então, vamos falar um pouco sobre o talento. De onde ele vem? Bom, nos primeiros anos de vida, nosso cérebro é flexível. Ele tem uma imensidão de estruturas que nos permitem aprender e fazer diversas coisas. Até os 16 anos, nós vamos dizendo ao cérebro para se concentrar em algumas dessas estruturas – aquelas atividades em que nos sentimos melhor ou pelas quais somos mais elogiados. Para fazer isso, o cérebro vai colocando as demais estruturas numa espécie de arquivo-morto. Aos 25 anos, o processo estaciona. A partir daí, uma pessoa pode se aperfeiçoar. Mas se, por exemplo, não demonstrou aptidão para tocar guitarra até os 25 anos dificilmente irá conseguir se tornar um talento depois disso.

Todos nós temos uma lista de pontos fortes e pontos fracos. O que as empresas recomendam é que tentemos melhorar nossos pontos fracos, o que não deixa de fazer todo sentido. Mas controlar um ponto fraco é uma coisa e tentar transformar um ponto fraco em um ponto forte é outra bem diferente. Na vida prática, se a gente pegar uma lista de cinco habilidades que as empresas consideram desejáveis, uma pessoa que for ruim em duas, regular em outras duas e excepcionalmente boa na última fará mais sucesso do que uma pessoa que seja regular em todas as cinco.

Por isso, para quem persegue uma chefia, será mais conveniente gastar o que for preciso para tornar o ponto forte ainda mais forte. Investir no principal talento que tem para torná-lo insuperável e fazer apenas o indispensável para não permitir que um ponto fraco se torne um entrave para uma promoção. Se, por exemplo, você sempre foi ruim para lidar com números, mas tem um reconhecido talento para falar em público, faça cursos para aperfeiçoar sua retórica e não se envergonhe de sua deficiência com cálculos. Ninguém é perfeito, mas quem tem um talento que sobressai dá a impressão de estar perto de ser.

Não se engane: quanto mais você subir, maior será a pressão

Esta é uma das maiores ilusões do mercado de trabalho, a de que profissionais que ocupam cargos elevados ganham muito e trabalham pouco. Só a primeira parte da frase é correta, eles de fato têm uma remuneração de causar inveja. A segunda parte funciona mais ou menos assim:

Um organograma se divide em cinco degraus. No primeiro degrau estão os estagiários, auxiliares e assistentes. Essa gente trabalha oito horas por dia e fica cansada. Caso manifeste à empresa esse estado de cansaço, o funcionário do primeiro degrau receberá a recomendação de procurar outro emprego.

No segundo degrau, o da supervisão e da média gerência, uma pessoa trabalha dez horas por dia mas não fica mais cansada. Fica esgotada. E terá direito, ocasionalmente, a uma licença médica.

No terceiro degrau, o das gerências de alto nível, o gerente trabalha 12 horas por dia e aí ganha o direito de dizer que está extenuado. E será aconselhado a fazer sessões de terapia, cobertas pelo plano de assistência médica.

O quarto degrau é o dos diretores, que trabalham 13 horas por dia e não ficam cansados, nem esgotados, nem extenuados. Diretor fica estressado. Só que, no caso dele, a palavra é levada a sério. Se um auxiliar disser que está com estresse, todo mundo vai dizer que é frescura. Diretor estressado, não. Ele é aconselhado a fazer um sabático para escalar o Everest ou fazer a caminhada de Santiago de Compostela.

O quinto e último degrau é o da presidência. Presidentes trabalham 14 horas por dia e não cansam, não extenuam nem estressam. Um presidente deve fazer de conta que está acima das fraquezas humanas. E todo mundo na empresa contribuirá para isso, dizendo que ele está com ótima aparência, mesmo que esteja um lixo. Resumindo, o funcionário comum é pago — e muito mal pago — para ficar cansado. E o presidente é pago — e muito bem pago — para fingir que nunca se cansa.

Se você está disposto a fazer esse sacrifício, mas ganhando mais que o suficiente para amenizar os dissabores, já entendeu o que é ser chefe.

Seja o melhor negociador

Nas empresas, fala-se muito sobre as características do líder. E essa discussão sobre a liderança acaba deixando em segundo plano uma característica vital para o desenvolvimento de qualquer carreira — a do negociador. Porque, se nem todos os funcionários vão chegar a líder, pelo menos no organograma todos, sem exceção, precisam ser negociadores.

Negociar é o que as pessoas mais fazem, todos os dias, embora muitas nem se deem conta disso. A maioria entende negociação como uma reunião formal com fornecedores ou com clientes, mas pedir um simples favor a um colega de trabalho também é uma negociação. Um levantamento de dados, por exemplo. Ou a solicitação para que um relatório seja apressado. E quem não consegue o que pede sempre acaba achando que o colega é lento, incompetente ou está fazendo corpo mole. Não é culpa dele. É culpa de quem não soube negociar com ele.

A negociação interna tem três regrinhas bem simples. A primeira é descobrir a melhor maneira de fazer a abordagem. Tem gente que não gosta de quem fala alto, tem gente que não gosta de quem fica enrolando para pedir alguma coisa e tem gente que não gosta de quem chega e já vai pedindo.

A segunda é tentar mostrar à outra pessoa que benefícios ela terá se fizer o favor solicitado. Porque todos nós somos mais ou menos iguais nessa hora: por que vamos parar as coisas importantes que estamos fazendo só para atender a algum apressadinho?

E a terceira é elogiar a pessoa que fez o favor — para os colegas ou para o chefe dela. Essa é a maior garantia de que a pessoa estará receptiva na próxima vez.

Todos os dias, um funcionário normal faz, no mínimo, 20 negociações internas. E, em mais da metade dos casos, não se prepara adequadamente para negociar e acaba não conseguindo o que quer. Na administração da própria carreira, a liderança é uma ótima qualidade. Mas a arte de saber negociar é mais que isso: é uma necessidade.

Dose bem as suas qualidades

Existem muitas receitas para o sucesso. E cada um de nós tem todos os ingredientes básicos para cozinhar um sucesso de dar água na boca de todo mundo. E, de vez em quando, a gente vê alguém que não tem nada assim de especial, mas se tornar um sucesso. E aí a gente se pergunta: como é que essa pessoa conseguiu tanto, com tão pouco? A resposta é simples: o segredo da receita do sucesso não está na quantidade de ingredientes, está no modo de preparo.

É por isso que uma pergunta tão repetida hoje em dia — "Você está preparado?" — pode ser traduzida de outra maneira: "Você sabe misturar os ingredientes que tem?" A maioria das pessoas desconfia de que não sabe e então sai procurando mais ingredientes e pagando caro por eles. Meio quilo de MBA, 300 gramas de especializações, um quilo de idiomas. Eles irão se juntar a outros ingredientes fundamentais, como ousadia, perseverança, criatividade, ambição e ética. Aí, basta misturar tudo isso em doses iguais e jogar na panela? Não. Porque as empresas fazem a mesma coisa que nós fazemos num restaurante. As empresas não avaliam o desempenho de seus funcionários pela relação dos ingredientes, mas pelo resultado final. Um ingrediente como "agressividade" pode ser ótimo em algumas situações e causar uma tremenda indigestão coletiva em outras.

Portanto, não basta apenas ter, é preciso saber dosar. Uma pessoa pode ter um forte ingrediente mas usá-lo sempre do mesmo modo e na mesma quantidade, pode ser um engano. Mas o grande segredo da receita do sucesso é uma pequena decisão que mistura sabedoria e bom-senso. É quando um profissional, que tem um currículo cheio de ingredientes sofisticados, sabe perceber a hora em que é preciso fazer, apenas e simplesmente, o velho e eficaz arroz com feijão.

Seja bom, mas não seja bonzinho

Existe um tipo de profissional que a gente encontra em qualquer empresa porque ele existe em grande número no mercado de trabalho. Todo mundo na empresa gosta deles, eles são elogiados pelos colegas e gozam da inteira confiança dos chefes. Só tem um probleminha. Essa gente muito amada passa anos na mesma função, ganhando a mesma coisa e com remotas possibilidades de receber uma promoção.

O problema do empregado bonzinho é que suas qualidades são também os seus defeitos. Para começar, ele é um conciliador. Não briga, não discute, não polemiza. Para ele, o empate sempre é um ótimo resultado. Ele sempre concorda com o que os outros falam, mesmo quando discorda, e por isso é tão querido. Mas o pior de tudo é que o funcionário bonzinho acredita que as pessoas são boas por natureza. E isso, no mercado de trabalho, não é necessariamente verdade. Não estou falando em desonestidade ou falta de ética, mas em ambição, superação e — quando é preciso — confronto. Brigar por uma ideia até quase o limite da impertinência.

Por tudo isso, existem dois tipos de pessoas no mercado de trabalho. Aquelas que saem de casa determinadas a matar um leão por dia e aquelas que ficam esperando o leão morrer de velho. Gente como o bonzinho é um bálsamo no ambiente competitivo das empresas. Ele é aquele tipo de pessoa que, quando está dirigindo, fica sempre preocupado com os outros motoristas, não ultrapassa ninguém, deixa que os apressadinhos o ultrapassem e não liga para as buzinadas que leva por ser o único a respeitar o limite de velocidade naquela avenida.

Tudo isso é ótimo. A questão é que as empresas não promovem os que dão a vez aos outros sem reclamar. Elas promovem os que arriscam e ultrapassam.

É bom ser chefe em empresa pequena?

Essa é uma decisão que um dia você terá de tomar. Como no mercado de trabalho brasileiro 80% das empresas são de pequeno e médio porte e empregam 90% dos empregados da iniciativa privada, é fácil deduzir que há mais vagas de chefes nelas do que nas empresas de grande porte. Para muita gente, o problema é que a maioria dessas empresas pequenas e médias tem um dono, que manda e desmanda. Não raramente, o dono interfere em todos os setores, não delega nada e cobra tudo. Isso porque ele não olha a hierarquia como o executivo de uma empresa costuma olhar. O executivo vê o organograma como um prédio de apartamentos. Quanto mais alta for a janela, maior será o *status* de quem está nela. O dono não, ele vê uma panela. Dentro dela, todos os funcionários formam uma geleia mais ou menos uniforme. Se o dono acha que deve dar uma ordem direta ao porteiro, ele vai lá e dá. Não importa se, entre o dono e o porteiro, existem dois ou três níveis hierárquicos.

É por isso que se diz que, quando o dono se afasta do comando e contrata pessoas para administrar a empresa, ele está profissionalizando a empresa. Isso significa que o dono, em essência, não é profissional. Ele toma boa parte das decisões com base em seu instinto e em suas emoções. Um profissional não faz isso. Ele analisa e pondera. Ele delega. O gestor profissional incentiva os funcionários a pensar e a oferecer sugestões. Isso pode ser ótimo, e é mesmo, mas tem um detalhe. A economia brasileira funciona por causa dos donos. Os profissionais das grandes empresas apenas têm mais fama no mercado.

Ser chefe em uma empresa de dono significa, acima de tudo, merecer a confiança dele. O chefe é um profissional fiel ao dono e puramente operacional, que acata ordens. As decisões estratégicas ficam por conta do dono. Não que chefes não sejam importantes em empresas assim. São e também costumam ser bem recompensados. Como você se sentiria sendo chefe numa empresa assim? Se não for o que você deseja para sua carreira, não arrisque. O dono mudará você ao menor sinal de que você está pensando em mudar a maneira como ele dirige a empresa dele.

Adapte-se, qualquer que seja o tamanho da empresa

Eu conheci uma moça, excelente profissional, que no início da carreira foi dispensada de uma empresa por ser contestadora. Quando recebia uma ordem do chefe, ela antes queria saber se aquilo não podia ser feito de outro jeito, ou até mesmo deixar de ser feito. Só que, um dia, o metódico chefe que ela tinha se cansou daqueles questionamentos que, na opinião dele, desafiavam a sua autoridade. Em menos de um ano, a moça foi demitida. E pensou ter aprendido a lição.

No emprego seguinte, ela parou de questionar. Só fazia o que lhe mandavam e, quando ninguém mandava, ela ficava quietinha, em estado zen, aguardando a próxima ordem. Em menos de um ano, ela perdeu novamente o emprego. Dessa vez, segundo o chefe, por falta de iniciativa. Isso deu um nó na cabeça dela. Afinal, que tipo de comportamento lhe garantiria um emprego se no primeiro ela correu e o bicho pegou, e no segundo ela ficou e o bicho comeu?

A confusão aconteceu porque ela imaginava que cada situação deveria ter uma só solução, como em uma equação matemática. No mundo corporativo, a mesma situação pode ter dez respostas, todas corretas. O que a moça fez foi bater de frente com dois sistemas: ela foi moderna em uma empresa conservadora e conservadora em uma empresa moderna. Na verdade, o único erro que ela cometeu foi de inversão. Se tivesse feito o contrário — sido passiva na primeira empresa e proativa na segunda —, ela teria se dado bem nas duas.

Na terceira empresa, ela finalmente aprendeu a usar seu radar, sua intuição, sua capacidade de observação. E descobriu que não precisava deixar de ser o que era, mas que precisa se parecer com o que a empresa esperava que ela fosse. E isso tem um nome: adaptação ao sistema e à cultura. Não é fácil de aprender, mas quem aprende não só conserva o emprego como ainda chega rapidinho a chefe. Foi o caso daquela moça, que nos dois anos seguintes foi promovida três vezes.

Entenda o que ainda lhe falta, não tudo o que já lhe sobra

Há funcionários que parecem ter tudo o que a empresa em que trabalham espera de um chefe. A saber: formação escolar, experiência, espírito de equipe, liderança e bom relacionamento. Mas, apesar de tudo isso, eles nunca foram promovidos. Pior, colegas que pareciam não ter tantos predicados é que foram promovidos. A reação natural de quem foi preterido é a de levantar dúvidas quanto à lisura das promoções, ou sentir-se perseguido, ou atribuir o infortúnio ao azar.

Na maioria dos casos, não é nada disso. O que está errado é a autoavaliação que o profissional faz. Com o passar do tempo e depois de receber vários sinais positivos e juntar todos eles, o profissional se convence de que não existe nada negativo, ou faltando, em sua postura e em seu desempenho. Porém, o simples fato de não ter sido promovido sem que o superior imediato lhe explique a razão já significa que o profissional nem sequer figurou na lista dos potenciais candidatos à promoção. Se tivesse sido considerado, certamente ouviria do superior algo do tipo “Não fique frustrado, porque não foi desta vez, mas outras oportunidades irão aparecer”.

Quem se vê numa situação assim, antevendo algo que não se materializa, não pode ficar remoendo suas dúvidas.

Precisa ir conversar com o superior. Não para pedir explicações por não ter sido considerado no processo anterior, mas para perguntar o que precisa fazer para ser considerado no próximo. Nessas conversas, quase sempre o profissional ouve que é bom no que faz, mas não está conseguindo transmitir a certeza de que seria tão bom se subisse um degrau. E aí, ao ouvir o que ainda está faltando, o profissional não deve discutir nem tentar convencer o superior de que não é bem assim. Deve mostrar na prática, nos meses seguintes, que entendeu a mensagem.

Você precisa ter talento, e tem

Estamos cansados de ler que empresas querem (e precisam) contratar, desenvolver e reter talentos. A empresa em que você trabalha certamente tem esse discurso. Aí, você olha em volta e pensa: "Se isso fosse verdade, eu deveria estar cercado de gente talentosa por todos os lados. Mas não é o que parece. Todo mundo aqui é normal. Eu mesmo não tenho nenhum talento especial. Será que a empresa está fingindo que nós somos talentosos, e nós, para retribuir a gentileza, fazemos de conta que somos mesmo, e todo mundo se comporta como se a empresa fosse o país das maravilhas?"

As respostas são sim e não. Sim, há pessoas talentosas em sua empresa, você incluído. E não, talento não é sinônimo de *superstar*. Em empresas, a palavra "talento" não significa que cada funcionário deve ter uma qualidade tão especial que salte aos olhos de quem estiver passando de avião a dez mil metros de altura. Talento é a capacidade que um funcionário tem de executar uma tarefa, mesmo que ela seja simples e corriqueira, de uma maneira mais eficiente do que a média dos demais funcionários. Quando uma empresa consegue atrair e reter pessoas assim, a qualidade geral do trabalho aumenta, a produtividade cresce e o lucro dispara.

Muita gente confunde o talento para as tarefas triviais com aquele talento que se vê em artistas ou atletas, o talento que gera fama e reconhecimento público. Funcionários talentosos não são celebridades. São apenas profissionais que excedem os objetivos que são passados para eles. Logo, você tem algum talento. Se não tivesse nenhum, já teria sido substituído por alguém que tivesse. Há talentos que saltam mais aos olhos, como saber fazer uma apresentação para uma audiência, e outros que são menos percebidos, como a capacidade de se concentrar na tarefa que executa e de manter o foco nela, cometendo pouquíssimos erros.

Seguramente, você tem pelo menos um talento, e ele será a alavanca para sua primeira promoção. Se você ainda não sabe qual é o seu principal talento, pergunte a seus colegas, porque eles certamente já notaram que você faz alguma coisa melhor que a maioria. Enquanto você continuar pensando que não tem nenhum talento, sua primeira promoção não virá. Quando descobrir qual é e passar a investir nele para torná-lo ainda mais vistoso, você será promovido.

Em que fase da carreira você está?

Uma carreira profissional tem quatro fases. Para quem quiser avaliar se está à frente ou atrás da fase em que deveria estar, aqui vão elas.

A primeira fase vai dos 18 aos 25 anos. É a fase do aprendizado. Nesse período, um jovem tem a impressão de que ganha menos do que deveria e de que recebe menos oportunidades do que deveria. É verdade. Na fase do aprendizado, a diferença entre o que o jovem ganha e o que deveria estar ganhando é o que ele paga para aprender.

A segunda fase vai dos 26 aos 34 anos. É a fase da coragem. O profissional já aprendeu todas as coisas básicas e essenciais, e sai procurando opções. Ou na empresa ou fora dela. Essa é a fase das grandes mudanças. De empresa, de cidade, de país ou de galáxia. Logo, um jovem de 26 anos que ainda está procurando uma vaga de estagiário já ficou para trás. Ele está na fase do aprendizado, quando deveria estar na fase da coragem.

A terceira fase vai dos 35 aos 45 anos. É a fase da colheita. Nesses dez anos, ocorrem as promoções para cargos melhores e o salário dá um belo salto. Como medida, o salário de alguém de 40 anos deveria ser, no mínimo, dez vezes maior do que era aos 20 anos.

Dos 45 anos em diante, vem a fase da inércia. O funil das boas oportunidades fica mais estreito, e poucos passarão por ele. Quem tem mais de 45 anos, evidentemente, acredita que tem a mesma energia que tinha aos 25, além de ter mais experiência. É verdade, mas o mercado de trabalho é meio cruel e não reconhece isso. Na fase da inércia, começa a busca pela estabilidade. Por isso, quando um profissional pergunta: "O que está acontecendo comigo?", a resposta quase sempre é: você deixou uma fase da carreira escapar.

Se você está numa fase condizente com sua idade, continue a fazer o que vem fazendo, melhorando sempre. Se está uma fase adiantado, parabéns, seu futuro está bem delineado. Se ficou um pouco para trás, você terá de saltar uma fase inteira para recuperar o tempo perdido. Não é fácil, mas é possível. Na vida profissional, nada é impossível. Só vai ficando complicado conforme o tempo passa.

Tome cuidado para não se deixar rotular

Você tem opiniões firmes. Ótimo. Você briga por suas opiniões até exaurir seu oponente, mesmo quando a maioria concorda que você está errado? Aí a coisa muda de figura, porque cria uma imagem negativa. As pessoas vão classificá-lo como arrogante, teimoso e outras coisas que você sabe que não é. Mas há um ponto em que, não importa o que você pensa, um rótulo é grudado em sua testa. E isso é ruim para sua carreira. Muito ruim.

Se você vive uma situação assim, precisa aprender uma coisa ao mesmo tempo muito simples e muito complicada. Refrear seu impulso de querer ser o dono da verdade. Vou lhe dar uma dica de como fazer isso. Quando alguém estiver falando e você sentir aquela súbita vontade de contrariar, comece a recitar, mentalmente, o alfabeto de trás para diante: z, x, v, u... Isso lhe dará um pequeno espaço de tempo para três coisas:

1. Permanecer calado, porque, quando você chegar à letra P, o impulso inicial já terá desaparecido.
2. Concordar com o que foi dito.
3. (a mais difícil, nesse caso) Elogiar o que foi dito.

Você tem fama de teimoso e arrogante porque, em 90% dos casos, não é que sua opinião esteja errada, é que ela não trará nenhum benefício para a discussão e ainda criará um clima de hostilidade contra você. E isso é muito ruim para uma carreira porque faz com que as pessoas passem a evitá-lo, ou não queiram colaborar com você quando precisar de ajuda. Neste momento, você deve estar discordando do que eu estou falando. E, se pudesse, me interromperia. Então, respire fundo e faça o teste: z, x, v, u... Pronto. Você se manteve calado por dois segundos. A ânsia de se manifestar imediatamente passou e esse curto espaço de silêncio já é suficiente para você evitar a maioria dos potenciais atritos.

Evidentemente, você não precisa se transformar em uma vaquinha de presépio e concordar com tudo o que os outros falam. Precisa, apenas, guardar suas opiniões firmes para os 10% de casos em que elas realmente poderão contribuir. Numericamente, seis concordâncias, três elogios e uma discordância é a conta que faz uma pessoa deixar de ser arrogante e passar a ser interessante. E a ser ouvida e respeitada.

Ser curinga acelera ou emperra a carreira?

Esta é uma história real. Com pequenos ajustes de idades e situações, é também a história de muitos funcionários que estão em dúvida sobre algo que está ficando comum no mercado de trabalho: ser um curinga. Aí vai ela:

O funcionário tinha 23 anos e trabalhava desde os 17 na mesma empresa. Nesses seis anos, exerceu várias funções diferentes. Foi sendo transferido de uma área para outra, sempre por convite dos gerentes, porque era considerado "pau pra toda obra". Passou por vendas, produção, logística e administração, sem nunca reclamar de nada, fazendo o que lhe era solicitado e entregando os resultados esperados. Acontece que, nesses seis anos, apesar de receber muitos elogios, aquele funcionário nunca foi considerado para uma promoção, que era o que ele mais queria e esperava. A cada mudança para uma função diferente, mas paralela em termos de organograma, ele ouvia que deveria ter paciência e continuar a ser um curinga, porque isso daria uma enorme vantagem no futuro, por estar adquirindo experiência em muitas áreas diferentes.

Isso seria mesmo verdade?

Não, não seria. Ser curinga é ótimo durante algum tempo. Mas, depois de alguns anos, esse pula-pula de uma área para outra acaba virando um fardo. Pior, o curinga vê profissionais com a mesma idade dele mas especialistas em uma coisa só, sendo promovidos. O curinga é uma espécie de generalista conveniente, e isso pode ser bom para a empresa, mas não tão bom para ele. Para deslanchar na carreira, ele precisa escolher uma atividade que aprecie e concentrar seus esforços nela. Se a situação não lhe permitir fazer isso, já que os gerentes se acostumaram com a mobilidade funcional do curinga, ele deve procurar outra empresa. A experiência múltipla certamente o ajudará a conseguir um bom emprego, mas, dali em diante, o ex-curinga precisa se concentrar em uma palavra: foco.

Quem não tem foco caminha muito, mas continua sempre mais ou menos no mesmo lugar. Como acontece com os curingas ou com quem muda frequentemente de emprego em busca da empresa ideal, mas sem evoluir em termos de função. As duas coisas atrapalham muito mais do que ajudam.

A empresa grande é um mundo novo e diferente

O que acontece quando alguém que trabalhava em uma empresa pequena e familiar, uma daquelas em que as oportunidades de crescimento são nulas porque os cargos de chefia são ocupados por parentes ou amigos de longa data, resolve partir para uma empresa grande? Duas coisas. As oportunidades de conseguir promoções de fato aumentam. Porém, só irão se tornar realidade se o profissional compreender que não apenas mudou de emprego, mas ingressou em outro mundo, bem diferente do anterior. Vamos supor que esse profissional seja você. O que você deve esperar?

Comecemos pelo que a empresa grande espera de você. Ela irá querer que você se adapte rapidamente a uma nova cultura, que será bem diversa da cultura da empresa familiar. A primeira coisa que você irá sentir e que provavelmente deixará você meio frustrado, é que a importância de seu trabalho e a sua importância como profissional irão lhe parecer muito menores. Na empresa familiar, é possível que um funcionário tenha contato com várias áreas, entenda o funcionamento delas e até possa dar alguns palpites. Na empresa enorme, você deve se concentrar nas tarefas que lhe forem passadas. Antes de tudo, você deve mostrar que pode fazer com eficiência o seu trabalho, antes de se preocupar com o trabalho dos outros.

Além disso, na grande empresa você encontrará pessoas com enorme ambição. Muitas delas. E algumas dessas pessoas não hesitarão em atropelar você. Portanto, seja camarada, seja simpático, seja um bom colega, mas não seja ingênuo. Finalmente, agora pensando na ascensão a um novo cargo, preste bastante atenção às pessoas que foram promovidas recentemente. Como elas se comportam, o que fizeram de diferente. E tente seguir o exemplo dessas pessoas. Porque empresas grandes costumam ser coerentes e os fatores que garantiram a promoção dessa gente são os mesmos que garantirão também a sua.

Um minuto para mostrar que merece ser chefe

Parece até um filme de ficção. Em um minuto, você poderá mudar sua vida. Deixar de ser subordinado e se tornar chefe. Só um minuto, nada mais. Em empresas, isso acontece. É uma seleção chamada "processo de impacto" e costuma ser adotada por empresas que possuem dois ou mais candidatos a uma vaga e não conseguem se decidir por um deles. Todos já se mostraram capazes, mas somente um pode ser premiado com a promoção. O processo de impacto funciona assim:

Os candidatos entram em uma sala onde quatro gerentes os aguardam. Como os candidatos não são previamente informados sobre a dinâmica do processo, todos estão preparados para fazer longas dissertações explicando detalhadamente seus resultados e suas qualidades, e aí são surpreendidos com um pedido: "Explique, em um minuto, por que você deve ser o escolhido".

Esse é um belo teste para você. Se conseguir convencer uma banca examinadora em um minuto, você realmente saberá encarar qualquer problema futuro quando for chefe. Pense um pouco e imagine o que você responderia. Como participei de alguns processos desse tipo como examinador, aqui vai a resposta que mais me agradou. Veja se ela se parece com o que você imaginou.

"Meu nome é Marcelo, sou assistente administrativo há dois anos e quatro meses. Durante esse tempo, sempre fui avaliado como sendo alguém com foco em resultados imediatos, com espírito de equipe e sem problemas de relacionamento com os colegas. Se eu for promovido, acredito que poderei contribuir ainda mais. Mas, qualquer que seja o resultado deste processo, quero que todos saibam que estou muito feliz por trabalhar aqui. Se a oportunidade não surgir agora, eu saberei esperar por ela." Nesse momento, ele olhou o relógio e concluiu: "Levei 36 segundos porque gosto de fazer as coisas em menos tempo do que me é solicitado. Obrigado pela atenção de todos".

Com um discurso desses, objetivo, sem firulas, e, principalmente, pelo brilhante final surpresa, Marcelo se destacou tanto que ficou com a vaga, com folga. A isso se dá o nome de objetividade, algo que se espera de todo chefe. Agora, você já está preparado, não só para um processo de impacto, mas também para muitas das perguntas que surgem em entrevistas de emprego e surpreender positivamente um entrevistador se forem respondidas em menos de um minuto.

Não fique esperando o tempo passar

Muita gente acorda de repente e percebe que vem fazendo a mesma coisa há anos. A mesma empresa, a mesma função, a mesma remuneração. O tempo passa mais rápido do que parece e é preciso fazer alguma coisa urgentemente para que o futuro não se torne mera repetição do passado. O ponto mais importante, nesse caso, é entender o que deveria ter sido feito e não foi.

O que faltou foi coragem para correr riscos. A vida corporativa é uma sequência de saltos, para frente e para cima. Às vezes, alguns desses saltos terminam em frustrações. Porém, se um salto pode ser ruim, a imobilidade é muito pior. Ou não, para quem busca segurança acima de tudo. Mesmo quem ambiciona uma promoção e se dedica a consegui-la pode ficar preso na armadilha de não querer arriscar demais, imaginando que ainda seria melhor ter um emprego do que ficar desempregado.

Lamento dizer, mas quem pensa assim não conseguirá dar um salto repentino de dez anos em sua carreira. Mas pode começar a mudar a situação com pequenos saltos. Dentro de sua empresa, expressando claramente ao superior que deseja ter mais oportunidades, ou em outra empresa, se o superior não der atenção ao pedido. Muita gente chega aos 30 anos pensando que passou do ponto de conseguir uma chefia, mas esquece que ainda nem chegou a um terço da vida profissional.

Se esta for a sua situação atual, ou se vier a ser algum dia, e se você de fato deseja mudar as coisas, salte. Saia em busca de uma oportunidade em outra empresa, uma que não lhe dará um cargo de chefia de imediato, mas que lhe acene com a possibilidade de poder lutar por ele. O tempo escoa rapidamente e daqui a um par de anos ainda será melhor você se arrepender por ter saltado, do que se lamentar por não ter tentado.

Não sei por que minha carreira não decola...

Talvez você até saiba, mas relute em aceitar. Uma carreira profissional tem esse nome — carreira — porque ela deve estar sempre em movimento. Não por acaso, a palavra "carreira" veio de "carro", o que já equivale a um aviso. Não estacione. Uma carreira é construída acelerando nos momentos certos, mas é importante não ser ultrapassado por alguém com menos potência mas com mais determinação.

Vamos começar com os sete sinais de que uma carreira pode realmente ter entrado em marcha lenta:

1. Falta de foco. Você não tem metas definidas. Seu chefe direto não lhe passou qualquer objetivo numérico para este ano.
2. Falta de rumo. Você não recebe nem elogios nem críticas construtivas. As únicas críticas resultam de explosões momentâneas de mau humor do chefe.
3. Falta de informações. Sua empresa não tem um processo formal de avaliação de desempenho. Por isso, você nunca sabe se está mais perto de uma promoção ou de uma demissão.
4. Falta de reconhecimento. Você não recebe um aumento por mérito há mais de dois anos. Mas algumas pessoas receberam e ninguém lhe explicou por que você foi passado para trás.

5. Falta de estímulo. Você não tem qualquer incentivo para fazer cursos e se aperfeiçoar. Cursos de especialização são vistos pela empresa como perda de tempo, porque é na vida prática que se aprende a fazer as coisas bem feitas.
6. Falta de explicações. Se você insinua que merece um aumento, pede uma transferência ou solicita uma oportunidade de mostrar que pode fazer mais do que faz, a resposta é sempre vaga. Por exemplo, "Este não é o melhor momento para discutirmos esse assunto", ou então: "A situação da empresa não permite".
7. O pior de todos: falta de perspectiva. Quando você encontra colegas de outras empresas e começa aquela conversa de "Quanto você está ganhando?", você resolve impressionar, dizendo que ganha bem mais do que realmente ganha. E aí um colega lhe diz: "Só isso?"

Se você se enxergou em pelo menos quatro dessas sete situações, você está na empresa errada. É um ambicioso em uma empresa que privilegia o marasmo. Porém, se nenhuma das situações bate com aquilo que sua empresa é, ou seja, se ela oferece os meios necessários para o desenvolvimento dos funcionários mas você ainda não os aproveitou, nesse caso o conselho é: acelere. Faça cursos, mostre resultados, peça mais trabalho e demonstre que ninguém irá ultrapassá-lo na corrida pela próxima chefia.

Tudo tem seu tempo certo

Assim que um jovem profissional coloca os pés dentro de uma empresa, começa o que chamamos de gestão da própria carreira. Ele imediatamente passa a pensar em como poderá ganhar mais, ser promovido e começar a mandar, em vez de ser mandado. Essas são ambições elogiáveis, mas eu conheci muitos profissionais que pareciam ter grande potencial quando estavam na faixa dos 20 anos e, passados dez ou 15 anos, não progrediram como deveriam. Observando essas pessoas, eu listei cinco pecados que podem atrapalhar uma carreira.

O **primeiro** é fazer o mínimo e esperar o máximo. Parte da imagem positiva que um profissional constrói vem de seu esforço para ir além de suas obrigações de rotina. Pessoas assim identificam problemas antes que eles apareçam e enxergam soluções onde a maioria vê dificuldades.

O **segundo** é agir como se fosse uma ilha de talento num oceano de mediocridade. Não admitir erros, não aceitar conselhos, procurar sempre uma justificativa para tudo e nunca fazer elogios. Isso gera antipatia e rejeição, dois fatores que pesam muito numa promoção.

O **terceiro** é a falta de equilíbrio emocional. Um dia, a pessoa está alegre e quer conversar com todo mundo.

No outro, se fecha como uma ostra e não admite que ninguém se aproxime.

O **quarto** é a inabilidade para conviver bem com o chefe direto. Uma das obrigações do subordinado é tornar a vida do chefe mais fácil, mesmo que ele seja um casca grossa. O subordinado que consegue estabelecer uma relação de confiança com o chefe tem dez vezes mais chances de ser promovido. Sempre lembrando que fidelidade e apoio nada têm a ver com puxa-saquismo.

E o **quinto** é a falta de adaptação a mudanças. Empresas mudam constantemente, por fatores internos ou externos, e pessoas pouco maleáveis sempre acabam ficando para trás.

Nenhuma dessas cinco coisas é difícil de evitar, mas não mais que 5% o fazem. Não por acaso, exatamente os 5% que são promovidos. Mas não creio que você já não esteja de olho nesses cinco pecados e já saiba o que fazer para evitá-los. Nesse caso, vá em frente, que sua promoção está bem próxima.

Chefe de quem?

Não raramente, a receita do sucesso é a mesma do insucesso. Existem profissionais que seguem determinados passos e chegam a algum lugar, enquanto outros, que seguem exatamente os mesmos passos, não chegam a lugar nenhum. O primeiro grupo progrediu porque conseguiu se adaptar às exigências da empresa, mas isso não quer dizer que o segundo grupo seja composto apenas por derrotados. Pelo contrário, há nele muita gente boa, que só não percebeu ainda que seu futuro não é chefiar subordinados em uma empresa, mas ser chefe de si mesmo.

Uma boa opção para muita gente seria abrir um negócio próprio, algo que requer uma vocação para o empreendedorismo. E é aí que entra a receita do sucesso e do insucesso. Existem seis sinais de que alguém pode ter espírito empreendedor, mas eles são os mesmos seis sinais de alguém que não quer nada com nada.

1 Dificuldade para se decidir por um curso ou uma profissão. Não raro, a pessoa abandonou uma faculdade e partiu para outro curso completamente diferente, ou simplesmente parou de estudar.
2 Uma sensação de desconforto em qualquer emprego. A pessoa se sente como se não fizesse parte daquele ambiente de trabalho e só estivesse ali por enquanto.

3. Um calafrio na espinha só de pensar que poderá passar dez anos trabalhando na mesma empresa, vendo todos os dias os mesmos colegas e o mesmo chefe.
4. Um horror a qualquer coisa que lembre rotina. O resultado é a dificuldade para concluir qualquer tarefa dentro do prazo, principalmente aquelas sem desafios.
5. Baixíssima tolerância a críticas e a conselhos profissionais e nenhuma vontade para conversar sobre coisas simples, como preparação de currículo ou entrevista de emprego.
6. Uma vontade de escapar da realidade. Um dos caminhos de fuga mais comuns é o desejo de passar um bom tempo no exterior, com o propósito declarado de aprender outro idioma.

A má notícia é que esses sinais podem indicar falta de vontade para trabalhar. A boa notícia é que muitos empreendedores passaram por alguns desses sinais, ou todos eles, e encontraram o sucesso quando descobriram que não eram incompetentes ou desanimados, mas apenas estavam trilhando o caminho errado. Se esse for o seu caso, não hesite em correr o risco de tentar ser o dono de seu nariz.

O que me falta para ser promovido?

Por que é tão difícil dar o salto para um cargo de chefia? Muita gente tenta, tenta e não consegue. Gente que é elogiada e reconhecida pelo trabalho que executa, mas, na hora de uma promoção, nem é convidada a entrar na fila de pretendentes. O que está faltando?

Não muito. Para quem olha a situação de baixo para cima, os candidatos naturais a uma promoção deveriam ser aqueles que têm mais tempo de casa ou aqueles que apresentam os melhores resultados práticos. Quando isso não acontece, fica a impressão de que o promovido é protegido de alguém. Sem dúvida, tempo de casa e resultados são levados em consideração. Mas são apenas dois de um total de cinco fatores avaliados.

O terceiro fator é a capacidade de liderança. Não a liderança no sentido de mandar, mas de convencer. O líder entre colegas ainda não tem o cargo, mas já ganhou o respeito. Ele é o primeiro a ser consultado pelos colegas quando surge alguma situação nova. E, na maioria dos casos, suas opiniões são ouvidas e suas sugestões são acatadas. Isso significa que, ao ser promovido, ele terá pouca ou nenhuma oposição.

O quarto fator é entender e defender o ponto de vista da empresa. Pessoas que reclamam muito ou que se mantêm caladas dificilmente são promovidas. Pessoas que entendem por que uma decisão foi tomada, mesmo não gostando dela, demonstram que poderão tomar decisões semelhantes quando ocuparem cargos de chefia.

O quinto fator é a personalidade. Mostrar que tem opinião própria é bom, discutir com o chefe é saudável, mas perceber o momento em que a opinião dele prevalece é essencial. Em outras palavras, esticar a corda da hierarquia, mas nunca permitir que ela arrebente.

Como se vê, os três últimos fatores são até mais fáceis que os dois primeiros. Muita gente com potencial imagina que eles sejam os únicos considerados e por isso patinam até descobrir a importância dos outros três.

Seus propósitos batem com os da empresa?

Certa vez, um subordinado pediu para conversar comigo sobre o futuro dele. Ele tinha um ano e pouco de casa e me fez saber que, desde o primeiro dia no emprego, havia estabelecido uma estratégia para merecer uma futura promoção. Eram três coisas, segundo ele. A primeira, surpreender o chefe com resultados melhores e mais rápidos do que o esperado. A segunda, ser proativo e oferecer sugestões de melhorias. A terceira, estar sempre à disposição para qualquer trabalho extraordinário.

O plano foi bem-sucedido, tanto que ele recebeu elogios por seu desempenho diversas vezes. Porém, quando surgiu a esperada oportunidade de uma promoção, ele ficou surpreso ao ver que um colega, também com bons resultados, mas com características opostas às dele, acabou sendo o escolhido. Esse colega era despreocupado e piadista. E aí o subordinado me perguntou onde havia errado. E eu lhe respondi o seguinte:

— Vamos dizer que você não errou. Apenas que seu colega acertou mais do que você. Tudo o que você disse faz sentido pela cartilha corporativa. Porém, como você mesmo mencionou, você elaborou sua estratégia desde o primeiro dia. Ou seja, antes mesmo de conhecer a empresa. Como você poderia saber se os três fatores que você considerou importantes para uma promoção eram os mesmos três que a empresa considera? Um atributo que não estava em sua lista é o relacionamento pessoal. Seu colega, apesar do jeitão despojado, possui a característica de aglutinar pessoas em torno de um objetivo. Numa promoção, isso tem muito peso. Em resumo, eu acredito que você tenha listado as três coisas que sempre farão de você um ótimo subordinado, mas não necessariamente um futuro chefe.

Finalmente, eu disse a ele que nossa conversa estava um ano atrasada. Se ele tivesse falado comigo logo depois do período de experiência, eu teria dito que a lista estratégica que ele fez visando a uma promoção tinha três itens, quando precisaria ter quatro.

Fica então a dica. Ao tentar entender o que a empresa espera de um futuro chefe, não deduza, pergunte.

Não acredite no conto do insubstituível

Surge uma oportunidade para você mudar de setor dentro da empresa. Você gostaria de aceitá-la porque percebe que no outro setor teria melhores chances de progresso do que tem em seu setor atual. Seu chefe, entretanto, mela a sua possível transferência, alegando que você é muito importante e que sua substituição seria quase impossível. Você gosta de seu chefe, que é boa praça e sempre o tratou bem. Então, decide ficar onde está.

É um tremendo erro. Seu chefe pode ser boa praça, mas não é um bom chefe. Se fosse, ele não colocaria empecilhos para você desenvolver sua carreira. No mercado de trabalho, existem de fato profissionais que são quase impossíveis de ser substituídos. Um deles é o aromista, nas empresas de perfumes. Ele é uma pessoa capaz de identificar 15 vezes mais odores do que nós, gente com olfato comum, e por isso ganha a mesma coisa que o diretor da empresa. Se você não está ganhando os tubos, isso só pode significar uma coisa: que é perfeitamente substituível. Se, de repente, você decidir sair, pode ter a certeza de que, no dia seguinte, a empresa encontrará alguém para ocupar o seu lugar.

Seu chefe possui uma característica que foi comum no século passado, a de se comportar como se fosse o dono de seus subordinados. Na verdade, ao barrar as transferências, seu chefe não está pensando nem em você nem na empresa. Ele está pensando nele mesmo. Ele está sendo egoísta, e egoísmo nunca foi algo saudável na relação entre chefe e subordinado. Se você simplesmente conversar com ele, ouvirá muitos elogios ao seu trabalho mas as coisas continuarão no mesmo pé em que estão. O que você deve fazer é começar a procurar opções no mercado, nem que seja para conseguir uma oferta para sair e usá-la para negociar sua transferência para outro setor da empresa. Se você aceitar a situação atual, daqui a alguns anos estará no mesmo lugar, fazendo a mesma coisa. Perderá a chance de chegar a uma chefia e se lamentará por não ter sido mais proativo na gestão da própria carreira.

Aumente sua autoestima

O mercado de trabalho está cheio de exemplos de pessoas que possuem capacidade e competência para chegar a uma chefia. Mas, por vários motivos, as boas oportunidades sempre acabam caindo no colo de outros colegas menos brilhantes. Um desses motivos — e possivelmente o mais frequente — costuma ser a baixa autoestima. Ou, em outras palavras, a pessoa sabe que tem potencial, mas não consegue demonstrar. Sabe que pode deslanchar, mas trava. Com o tempo — e esse é o grande risco —, poderá acabar se convencendo de que não é tão boa quanto realmente é.

Vou relacionar dez características de uma pessoa com baixa autoestima no trabalho.

1. Sempre demonstra certo receio antes de aceitar trabalhos e projetos que nunca executou antes.
2. Frustra-se fácil e exageradamente quando alguma coisa não sai como deveria.
3. Necessita constantemente de reconhecimento e de elogios.
4. Ao apresentar uma ideia, vai perdendo o pique na medida em que os presentes fazem questionamentos, como se as perguntas fossem uma demonstração de desconfiança e não uma tentativa de entender melhor.
5. Fica excessivamente ansiosa quando depara com obstáculos que, na realidade, têm pouca importância.

6. Critica constantemente os outros, mas tem dificuldade para ouvir as críticas alheias, que entende como perseguição.
7. Pensa constantemente em mudar de emprego, porque em outra empresa as coisas poderão ser diferentes.
8. Acredita que o isolamento é a melhor forma de evitar problemas.
9. Tende a enxergar o lado negativo de qualquer situação.
10. (a pior de todas) Sente-se impotente para agir e reagir, como se a solução dependesse dos outros e não dela.

Quem tem baixa autoestima costuma investir em cursos, como se diplomas pudessem compensar a falta de confiança. Um psicólogo ajudaria muito mais e custaria bem menos. O único problema é que pessoas com baixa autoestima raramente acreditam que um psicólogo poderá ajudá-las. Esse é o desafio que precisa ser superado. Aceitar que necessita de ajuda. Tem um preço, evidentemente, mas é um investimento que parecerá pequeno quando o profissional começar a galgar as posições que seu talento merece.

Mostre ao seu chefe o respeito que você vai querer receber quando for chefe

Imagine que você esteja vendo muita coisa errada na sua empresa, tanto em processos quanto em pessoas. No caso dos processos, eles estão desatualizados. No caso das pessoas, existem algumas sem nenhuma competência técnica para desempenhar suas funções. Como você parece enxergar essa situação com mais clareza que os gestores, sente aquela tentação de tomar uma atitude para o bem da empresa.

Você então vai conversar com seu chefe direto, numa boa. Para seu desencanto, ele lhe dá a impressão de nem sequer entender o que está propondo. Se é assim, por que não falar com o chefe de seu chefe e expor suas preocupações diretamente a quem pode decidir?

Vamos começar definindo o que são "coisas erradas". Sua empresa está infringindo leis, sonegando impostos ou praticando algum ato imoral? Se não estiver, e provavelmente não está, o que você está chamando de "coisas erradas" é a sua percepção pessoal de que certos procedimentos deveriam ser diferentes do que são. Quanto ao desempenho de alguns colegas, será que eles não estão fazendo o que a empresa espera deles, embora você ache que ela deveria contratar gente melhor e exigir mais?

Ao pular a hierarquia e falar diretamente com o chefe do chefe, você estaria cometendo um desses pecados imperdoáveis em empresas, o de desrespeitar a autoridade de seu chefe direto. Se isso acontecer, as chances de a empresa mudar serão mínimas, mas as chances de você mudar de empresa serão enormes. Empresas são como organismos vivos que expelem corpos estranhos. Nesse caso, claramente, o corpo estranho seria você, mesmo considerando-se que sua avaliação da situação possa estar correta. Você tem um pequeno problema e não deve correr o risco de trocá-lo por um grande problema. Minha sugestão: continue a fazer propostas de mudanças, mas sempre diretamente a seu chefe, por mais que ele lhe pareça incapaz. Não faça com seu chefe o que não quer que seja feito com você quando for o chefe.

Há um tempo para tudo

Por que minha carreira não decola? Por que a empresa não me dá oportunidades? Por que os piores são promovidos? Essas são perguntas que você pode estar se fazendo, e é justo e razoável que as faça. Quem não for inquisitivo nunca obterá respostas.

Porém, é preciso evitar duas pequenas confusões que atrapalham carreiras. A primeira é confundir desejo com obrigação. Uma empresa é organizada em torno de tarefas. Cada uma dessas tarefas permite certo grau de liberdade e de criatividade, mas a essência de cada tarefa está no trabalho repetitivo, que consome a maior parcela do tempo. A eficiência de uma empresa como um todo depende da eficiência com que cada uma dessas tarefas básicas é executada. Isso gera uma queixa muito comum: a da falta de liberdade, de espaço ou de oportunidade para executar tarefas mais criativas, mais desafiadoras e menos chatas. Entretanto, a avaliação que a empresa faz é inversa. A empresa sempre começa valorizando mais quem executa com mais eficiência as tarefas básicas.

E a segunda é confundir potencial com produtividade. Potencial é tudo aquilo que alguém poderá vir a fazer. Produtividade é aquilo que alguém de fato faz e pode ser medido por números. O potencial é abstrato, enquanto a produtividade é concreta. Quando uma pessoa é contratada, a empresa leva em conta o seu potencial. Se ela tem curso superior, se fala outro idioma, e por aí vai. Mas os primeiros trabalhos que essa pessoa executará provavelmente não exigirão nem 5% da sua capacidade intelectual.

É durante esse período que surge a separação entre quem reclama que está fazendo um trabalho sem graça, que qualquer um poderia fazer, e quem entende que o "qualquer um" que for mais produtivo receberá as primeiras oportunidades para deixar de ser qualquer um e merecer uma promoção. Ou, como sabiamente diz o Eclesiastes, há o tempo de plantar e o tempo de colher. Não há como inverter a ordem, nem da natureza nem do mercado de trabalho.

Faça a pergunta certa à pessoa certa

Um jovem ambicioso foi admitido por uma empresa. Como tinha múltiplas habilidades, ele decidiu descobrir qual setor lhe daria melhores condições para construir uma carreira mais rapidamente. E fez essa pergunta ao gerente financeiro. "Finanças, evidentemente", respondeu o gerente, "porque, no fim das contas, uma empresa existe para gerar e administrar dinheiro."

Em seguida, o jovem perguntou ao gerente de vendas qual era o setor mais importante. "Vendas, evidentemente", respondeu o gerente, "por ser o único setor que gera faturamento para a empresa."

O jovem anotou a resposta e foi falar com o gerente de recursos humanos, que lhe respondeu: "Uma empresa se sustenta sobre o talento e a motivação das pessoas. Portanto, não há setor mais importante do que recursos humanos".

Mas o gerente de informática tinha outra visão. E ele disse ao jovem que a tecnologia estava cada vez mais substituindo as pessoas, com vantagens. Um dia, sem dúvida, as empresas serão controladas por profissionais de informática. Portanto, esse era o setor mais importante. Já o gerente de marketing explicou que marketing cria o desejo de consumo e de compra e por isso era o setor mais importante. E o gerente de pesquisa e desenvolvimento esclareceu que seu setor era o mais importante porque novos produtos são o oxigênio de uma empresa.

Ao final de 30 dias, o jovem chegou à conclusão de que havia 15 setores na empresa e de que cada um deles se considerava o mais importante. Até que o jovem teve a oportunidade de conversar com o presidente da empresa, que tinha apenas 34 anos. E o jovem perguntou como o presidente havia descoberto tão rapidamente a melhor direção a seguir. E o presidente respondeu: “Eu rezava”. Impressionado, o jovem perguntou: “Então, uma carreira bem-sucedida é uma questão de fé?” “Também”, disse o presidente, “mas eu rezava para que os outros jovens ambiciosos que concorriam comigo continuassem a gastar o tempo deles fazendo perguntas, enquanto eu dedicava todo o meu tempo a fazer o meu trabalho”.

Mudar pode representar um progresso ou um retrocesso

Ter tido um emprego por ano em empresas diferentes nos últimos anos pode ser considerado um acúmulo de experiência que irá facilitar a chegada a um cargo de chefia? Depende. Se a pessoa estiver ganhando hoje o dobro do que ganhava há três ou quatro anos, isso significa que seu talento e seus resultados estão sendo suficientes para atrair novas propostas de emprego. Porém, se o salário atual não mudou com o passar dos anos (e dos empregos), essas mudanças constantes não estão construindo uma carreira. Estão cavando um buraco.

Portanto, o que deve ser bem avaliado são os motivos. A mudança positiva ocorre quando uma pessoa, de modo geral, está satisfeita com seu trabalho e com a empresa, mas a nova oportunidade que surgiu irá deixá-la ainda mais satisfeita. A mudança negativa ocorre quando a pessoa se sente insatisfeita com várias coisas. Superiores incompetentes, colegas chatos ou invejosos, falta de perspectivas ou tarefas aquém da capacidade que ela julga ter.

É possível que tudo isso ocorra em uma empresa. Mas é difícil que os mesmos fatores se repitam em uma segunda empresa. Aí, já seria muito azar. E, caso apareçam também na terceira empresa, a conclusão é óbvia: o problema está na pessoa e não nas empresas em que ela trabalha ou trabalhou. Essa insatisfação, que faz com que nenhum emprego pareça bom, pode ter várias causas. A principal é a ansiedade, ou seja, aquela ilusão de que a empresa deve se mover no ritmo que o funcionário deseja, e não o contrário. Todo emprego tem um período em que pouco ou nada acontece. Esse período pode durar até dois anos. Mas os ansiosos já começam a se preocupar aos três meses. Aos seis meses, já perderam a fé na empresa. E, daí em diante, só enxergam defeitos e não veem a hora de pular fora.

Em resumo, mudanças tanto podem ser passos à frente como passos para trás. Mudanças frequentes, mas puramente emocionais, fazem com que o futuro profissional se torne cada vez mais estreito e uma chefia cada vez mais distante.

Os três pilares que sustentam uma carreira

O caminho para uma chefia se inicia no primeiro minuto do primeiro dia no primeiro emprego. Vamos então começar com uma palavra que acompanhará uma carreira do princípio ao fim, não importa quantos anos ela irá durar: credibilidade. O grau de sucesso de um profissional depende diretamente de quanto as pessoas acreditam nele. As carreiras empacam no exato ponto em que colegas ou superiores perdem essa confiança. Mas é importante não confundir credibilidade apenas com sinceridade. Ser sincero é um dos pilares que sustentam a credibilidade, mas não é o único. Há outros dois.

O segundo é o pilar do conhecimento. É preciso que você demonstre que possui plenas condições técnicas para fazer seu trabalho. E isso significa nunca deixar de estudar, de aprender, de se atualizar e se aperfeiçoar. E o terceiro pilar é o da execução. O profissional adquire credibilidade ao fazer mais do que se espera dele, em termos de tempo e de objetivos. Essa capacidade de executar bem é que faz a fama de profissionais que dão a impressão de ser capazes de resolver qualquer problema que lhes for passado, sem necessidade de cobranças superiores durante o processo.

Finalmente, é bom ter em mente que ser um profissional com credibilidade não significa que todo mundo irá concordar com ele o tempo todo. E, no início da carreira, pode ser que bem poucas pessoas estejam dispostas ao menos a escutá-lo. Por isso, e para começar a merecer a confiança geral, ele deve começar prestando muita atenção ao terceiro pilar, o da execução, porque é o mais fácil de ser avaliado com dados concretos.

Tão importante quanto acertar é evitar cometer erros

Existem descuidos que parecem pequenos mas podem atrapalhar bastante uma carreira. Preparei uma lista de dez sugestões para que você, independentemente de sua idade ou de seu tempo de experiência, possa se autoavaliar.

1. Evite fazer inimizades e criar confrontos. A dificuldade para se relacionar com superiores e colegas é, de longe, o maior empecilho para uma carreira bem-sucedida.
2. Não deixe de perguntar. Muito e sempre. Boa parte do que se aprende em uma empresa não está nos manuais. Está na experiência de quem já sabe como a empresa funciona.
3. Nunca faça afirmações sem ter certeza, porque sempre haverá alguém por perto que entende do assunto.
4. Não esqueça de investir primeiro no óbvio, aprendendo a falar e a escrever bem. Um bom técnico que não consegue se comunicar dificilmente passa dos estágios iniciais da carreira.
5. Não deixe para aprender depois. Procure estar sempre atualizado com a tecnologia, porque ela avança muito rapidamente. No mínimo, é preciso saber usar os aplicativos mais utilizados no mercado de trabalho.

6. Não mencione à toa, e a toda hora, cursos, títulos e viagens. O conhecimento deve ser usado para contribuir, não para impressionar.
7. Fuja do preciosismo. Levantar com frequência questões sobre o detalhe do detalhe é a maneira mais rápida de ganhar o indesejado rótulo de chato.
8. Ao fazer uma crítica, tenha a sensibilidade para se colocar no lugar da outra pessoa. Sempre é possível encontrar uma maneira de dizer a verdade sem machucar ninguém.
9. Reclamar nunca foi um bom combustível para a carreira. Solicite mais tarefas e mais responsabilidades.
10. Não acredite em conspirações. A carreira empaca quando um profissional não consegue fazer com que outros o vejam como ele mesmo se vê. Por isso, mudar de empresa não vai adiantar. É preciso mudar de tática.

Ocasionalmente, cometer um desses descuidos não causa mal algum. É humano e aceitável. O que pode complicar a possibilidade de futuras promoções é a repetição de um deles e o acúmulo de vários deles. A boa notícia é que todos são perfeitamente evitáveis.

Aprenda a dizer "não"

Logo no começo de minha carreira, eu tive uma conversa informal com um dos diretores da empresa que mudou minha vida profissional. Do nada, meu diretor começou a elogiar um de meus colegas, dizendo que ele era o tipo de subordinado perfeito. Eu perguntei por quê, e o diretor me respondeu que aquele colega nunca dizia "não" para nada. Tanto que até ia trabalhar todos os sábados, sem ganhar nem pedir hora extra.

Os anos se passaram e aquele colega continuou no mesmo lugar e com o mesmo salário, enquanto alguns de seus pares receberam aumento ou foram promovidos. Foi quando eu comecei a perceber que nunca dizer "não" a um superior era ótimo. Ótimo para o superior.

Quem nunca diz "não" sempre acha um tempo para ajudar os outros, mesmo quando está atolado de trabalho e mesmo que os outros estejam mais coçando do que produzindo. Quem nunca diz "não" não consegue criticar ninguém cara a cara. Pelo contrário, tende a concordar com qualquer coisa que ouve, para não criar atrito. Quem nunca diz "não" prefere não reagir quando alguém se apossa de uma ideia sua sem dar crédito ao verdadeiro autor. Quem nunca diz "não" começa qualquer conversa se justificando ou explicando o que não precisa ser explicado. Parece diplomacia, mas na verdade é receio de desagradar.

Finalmente, gente assim cala quando surge a chance de pedir o que qualquer pessoa normal pediria. Como um reconhecimento, um aumento ou uma oportunidade. De modo geral, quem nunca diz "não" age como se fosse um figurante de um filme, aquele que aparece sorrindo lá no fundo da cena, mas não faria diferença se não aparecesse. Quem pretende ser chefe precisa aprender a dizer "não". Sem explicar por quê, sem se desculpar e sem prometer nada em troca. Na primeira vez, isso requer um enorme esforço, mas é um passo fundamental para chegar a um cargo de liderança.

A crítica deve ser exercida, mas no momento e no tom certos

Quando eu tinha 19 anos, presenciei um fato que me abriu os olhos para os riscos de algo que eu também costumava fazer com certa frequência: a crítica. Foi em uma reunião de vendedores. Após duas horas de apresentações e explicações, o gerente que comandava a reunião perguntou se alguém tinha alguma coisa a acrescentar ou alguma sugestão a fazer. Um vendedor levantou a mão e fez uma série de críticas aos procedimentos comerciais que a empresa adotava e na opinião do vendedor poderiam ser melhorados.

Alguns colegas concordaram com uma ou outra ponderação do vendedor, mas o resultado final acabou sendo uma surpresa para todos. Dias depois da reunião, o vendedor crítico foi dispensado. Ele, evidentemente, não engoliu a dispensa e saiu acusando o gerente de não aceitar críticas construtivas, que haviam sido feitas visando somente ao bem da empresa.

O episódio me ensinou algumas lições que usei pelo resto de minha carreira, principalmente depois de ter assumido cargos de chefia. A primeira lição: um chefe nunca deve incentivar discussões e críticas se não estiver bem preparado para argumentar. Aquele gerente de vendas saiu da reunião sentindo sua autoridade ameaçada. Para tentar recuperá-la, ele sacou o cartão vermelho.

Foi uma medida justa? Claro que não. O gerente cometeu dois erros. O da falta de preparação e o do excesso de rigor. Porém, o vendedor havia cometido um. O de despejar uma série de críticas sem avaliar o impacto que elas causavam na medida em que ele falava. O melhor teria sido fazer só uma crítica, de preferência uma crítica leve, e esperar a reação do gerente. Se ela fosse de incentivo, o vendedor continuaria. Se fosse de qualquer outro tipo, ele pararia e aguardaria outra ocasião para manifestar suas opiniões, até mesmo em uma conversa individual.

Sem dúvida, nessa história a culpa maior foi do gerente, mas, por outro lado, cabe ao subordinado tentar entender o quanto ele pode esticar a corda da hierarquia sem correr o risco de que ela arrebente. Em resumo, não é a verdade que está em discussão. É o momento. E o tom. Em empresas, dizer a verdade é uma demonstração de sinceridade, mas encontrar a ocasião mais oportuna para fazê-lo é uma demonstração de sabedoria.

A sabedoria não está na lista de ingredientes, está no modo de usá-los

Há quatro fatores que são determinantes para chegar a uma chefia.

1. Conhecimento. Se você sabe, diga.
2. Criatividade. Se você tem uma ideia, apresente-a.
3. Persistência. Se ninguém escutou, repita.
4. Personalidade. Se você não concorda, reclame.

Acontece que esses mesmos quatro aceleradores de carreira também podem se transformar em freios para ela. O conhecimento pode ser interpretado como soberba. A criatividade, como tentativa de mudar o que não precisa ser mudado. A persistência, como teimosia. E a personalidade, como dificuldade de relacionamento. Em resumo, os mesmos quatro fatores tanto podem impulsionar alguém para cima quanto para fora.

Talvez seja por isso que usamos a palavra "receita" quando falamos em sucesso profissional. Um manual da carreira é mais ou menos como um livro de culinária. Partindo dos mesmos ingredientes, que são conhecidos e estão disponíveis para todos, podemos chegar a resultados opostos.

A diferença está no quinto ingrediente. A sensibilidade. Existem empresas que apreciam e incentivam a agressividade e a competitividade feroz entre colegas. E existem outras que preferem ter colaboradores capazes de conviver em harmonia e de se adaptar a rotinas. Na prática, isso não significa que uma empresa mais agressiva terá melhores resultados que uma empresa mais assentada ou vice-versa. Significa, apenas, que pessoas cujas características pessoais se encaixam em uma delas dificilmente terão sucesso na outra.

Boa parte da frustração que muitos profissionais demonstram, por não serem reconhecidos, ou por não terem oportunidades, vem do fato de que eles estão usando todos os ingredientes do sucesso, mas sem dar a devida importância aos critérios de quem será responsável pela avaliação do bolo final. Por isso, tenha sempre em mente que você pretende chegar a chefe em uma empresa, aquela em que você trabalha. É a ela que seu bolo de resultados e atitudes precisa causar satisfação, e não indigestão.

Uma dica para toda a carreira: mentir no currículo é dar um tiro no próprio pé

Em uma pesquisa feita nos Estados Unidos descobriu-se que metade dos currículos continha alguma inverdade. A pesquisa mostrou também que os homens mentem mais que as mulheres e que o tamanho da mentira é inversamente proporcional ao cargo pretendido. Ou seja, candidatos a auxiliar mentem mais do que candidatos a cargos de chefia.

Como não tenho conhecimento de nenhuma pesquisa desse tipo no Brasil, consultei uma agência de recrutamento que entrevista centenas de candidatos por mês. Para começar, a responsável pela agência me disse que os entrevistadores sempre começam com um pé atrás quando o currículo parece bom demais. E aí vão fazendo perguntas cada vez mais específicas até o candidato finalmente disparar um "veja bem" e confessar que, de fato, "exagerou um pouquinho". A meu pedido, a agência listou as mentiras mais comuns em currículos. São seis.

1. Transformar seminários de fim de semana em cursos de aperfeiçoamento profissional.
2. Transformar viagens de turismo em experiência internacional.

3. Mencionar fluência em idiomas quando o conhecimento é apenas elementar.
4. Transformar a participação num grupo de trabalho em "liderança na implantação de um projeto".
5. Mencionar valores exagerados, de economia ou investimento, na empresa anterior.
6. Colocar um cargo ou função que o candidato diz ter exercido na prática, mas não consta na carteira profissional.

Praticamente todas essas inverdades são facilmente descobertas nas entrevistas. E, é óbvio, o candidato é eliminado do processo. Portanto, quem não mente pode até perder algumas chances de ser chamado para entrevistas, mas no longo prazo será beneficiado porque a ética acabará prevalecendo. E um futuro chefe, que certamente irá exigir honestidade dos subordinados, não irá querer começar uma carreira fazendo o contrário.

Use os maus exemplos de um mau chefe para aprender a ser um bom chefe

Não é tão incomum que um novo chefe seja contratado e comece sua gestão apontando defeitos no trabalho de seus subordinados, antes mesmo de entender direito como o trabalho deve ser feito. Se isso acontecer em sua empresa, certamente você e seus colegas ficarão muito irritados com esse tratamento.

A irritação é compreensível, mas a primeira sugestão que eu daria é a mais sensata. Tente entender que o novo chefe precisa provar rapidamente que a empresa contratou o profissional certo. De fato, existem chefes que exageram um pouco ao apregoar os eventuais erros que a empresa possa ter cometido antes da chegada dele, o salvador da pátria. Mas, independente dessa estratégia altamente duvidosa, a vida de um novo chefe tem duas fases.

A primeira dura, no máximo, três meses. Essa é a fase em que o novo chefe pode culpar o passado pelos maus resultados do presente. Durante essa fase, ele até poderá contratar alguns amigos fiéis, com o argumento de que o pessoal da casa é meio fraquinho. Poderá até demitir um empregado mais antigo, para mostrar quem é que está no comando. Essas atitudes só demonstram uma coisa: que o novo chefe está inseguro de sua capacidade para liderar a equipe.

Mas, a partir do quarto mês, começa a segunda fase. Aquela em que o novo chefe precisará apresentar resultados convincentes no presente para provar que tem futuro. A experiência prática mostra que a segunda fase é o reflexo da primeira. Via de regra, o chefe que dá certo é o que começa a conquistar a confiança da tropa assim que pisa no campo de batalha. O chefe que dá errado é o que pensa que pode vencer uma guerra lutando contra seu próprio exército. Mesmo que parte das críticas que ele esteja fazendo aos subordinados tenha fundamento, o confronto só vai produzir uma equipe sem a necessária motivação para dar o suporte de que o novo gerente vai necessitar na segunda fase.

Por isso, use o comportamento de um chefe inseguro como uma aula prática. Aprenda com ele o que não fazer quando você se tornar chefe.

Entenda a grande diferença entre carreira e emprego

Quem quer ser chefe não pode começar a vida profissional pensando apenas no curto prazo. Essa será a diferença entre ter um emprego e construir uma carreira.

Um emprego é uma atividade que gera recursos para pagar as contas que vencem ao final de cada mês. Uma carreira é uma série de decisões que um profissional vai tomando ao longo de sua vida profissional para que as contas ao final de cada mês incomodem cada vez menos.

Emprego é uma atividade presente. Carreira é a preparação do futuro. Um emprego sempre está na dependência de decisões que são tomadas pela empresa. Uma carreira depende principalmente de decisões pessoais. Empregos são temporários. Carreiras são permanentes.

Mas não é necessário ficar mudando de empresa para construir uma carreira. Uma carreira pode ser desenvolvida dentro de uma só empresa. Cada mudança de função que implique mais responsabilidades e mais salário é um passo adiante na carreira. Por outro lado, ter trabalhado em várias empresas, mas executando trabalhos semelhantes em todas elas, não é carreira. É uma sequência de empregos encadeados, o que significa que o próximo emprego será muito parecido com o último. Alguém que esteja fazendo a mesma coisa há cinco ou dez anos, sem alteração de função e salário, tem um emprego. Alguém que esteja trabalhando em uma empresa que não exige o conhecimento do inglês, mas decide estudar o idioma, está pensando em uma carreira.

A carreira é uma preparação contínua para o próximo emprego ou para o próximo cargo, que serão melhores que os atuais e podem estar dentro ou fora da empresa atual. De modo geral, quem pensa em emprego muda de empresa mas não muda de patamar profissional. Quem não consegue construir uma carreira procura emprego. Quem consegue é procurado e chegará mais rapidamente a uma posição de chefia.

Exercite sua curiosidade

Numa conversa que tive com meia dúzia de presidentes de empresa, começamos a listar as características que haviam influenciado na ascensão profissional deles, desde a primeira chefia até o posto mais alto da organização.

Listamos umas 20 características, mas sempre havia algum presidente que não tinha uma delas e mesmo assim tinha chegado lá. Liderança estava em todas as listas, mas não conseguimos chegar a um consenso sobre qual seria o estilo mais eficiente. Até porque um dos presidentes presentes era tímido desde criança e havia adotado um sistema silencioso de liderança que não sobressaía à primeira vista.

No fim, sobrou uma única característica que todos eles sempre tiveram e ainda tinham. A curiosidade. Sem exceção, todos os presidentes que conhecíamos eram visceralmente curiosos. Então é isso? Basta ser curioso para chegar lá? Bom, se é verdade que quem chega é curioso, também é verdade que nem todo curioso chega. A questão não está no acúmulo de informações, mas no uso adequado delas.

Primeiro, existe a curiosidade vazia. Lembro-me de um gerente de vendas que, todas as tardes, sabatinava os vendedores que voltavam da rua. Ele fazia perguntas interessantes e importantes. As dificuldades que cada vendedor tinha encontrado, os argumentos de venda utilizados, como o vendedor lidava com a rejeição dos clientes. Um dia, eu perguntei a ele o que ele fazia com tantas informações. E ele respondeu: "Ah, nada, eu só quero ter certeza de que o vendedor sabe se virar".

Depois, vem a curiosidade restrita. É o que mais acontece em empresas. Alguém que sabe tudo sobre seu trabalho, mas não consegue relacionar o que faz com o que as outras áreas fazem. Como se um organograma fosse uma série de jaulas e não uma exposição aberta à visitação. A queixa mais comum é "Os outros estão atrapalhando meu trabalho". A pergunta raramente feita é: "Como posso ajudar a melhorar o trabalho dos outros?"

Finalmente, vem a curiosidade que impulsiona carreiras, aquela que usa as perguntas para ajudar quem responde a pensar. Gestores sempre têm as melhores respostas. Presidentes costumam ter as melhores perguntas. Por isso, um bom exercício para quem está na trilha para a primeira chefia é ir aprendendo a perguntar, em vez de querer ter sempre uma resposta exata para qualquer situação.

Livre-se do caçador de erros alheios

Em seu trabalho, há um colega que vive falando dos erros e defeitos dos demais? Um colega que, mesmo sem ter um cargo que lhe permita agir assim, se comporta como se fosse um auditor das pequenas deficiências dos outros?

Todo setor costuma ter alguém assim. Um, no mínimo. Ele diz que faz isso só para colaborar, sem querer prejudicar ninguém, mas não devemos ter dúvidas quanto às reais intenções dele. São ruins. Ele é um caçador de erros alheios.

Como erros fazem parte da vida profissional, o caçador tem sempre um campo fértil para explorar. Às vezes, o caçador é um diplomata disfarçado. Ele parece estar elogiando um colega, mas no meio do elogio dá um jeitinho de incluir uma referência a um erro que o colega cometeu. E o que fica gravado depois da conversa é sempre o erro, porque é de nossa natureza dar mais atenção às exceções do que às regras. Mas há também os caçadores descarados, aqueles que simplesmente ignoram os 99% de acertos e concentram suas baterias no 1% de erros.

Por que existe gente assim? Porque há duas maneiras de alguém conseguir se destacar. A primeira é mostrar que é bom. A segunda é mostrar que os outros não são. Evidentemente, a primeira é bem mais difícil do que a segunda. Fazer um bom trabalho requer tempo, conhecimento, concentração e talento. Dizer que os outros são ruins só requer uma frase.

O caçador de erros alheios é um profissional inseguro. Ele compensa a falta de confiança para competir de igual para igual ressaltando os aspectos negativos de seus competidores. Sabendo que também está sujeito a erros, ele se previne mostrando que os outros também erram e amplificando os erros alheios para que os seus próprios erros pareçam menores.

Como muitos tipos com os quais ninguém gosta de conviver, o caçador de erros alheios faz parte da paisagem das empresas. Mas há um jeito de neutralizá-lo. Os profissionais bem-sucedidos com os quais eu convivi tinham a habilidade de reconhecer e anunciar seus erros, antes que alguém o fizesse, e de imediatamente dizer o que fariam para não errar novamente. Esses profissionais nunca foram incomodados pelos caçadores de erros porque já não havia nada para caçar. E chegaram a posições de chefia, enquanto o caçador continuava procurando novas vítimas e não saía do lugar.

O que as empresas esperam dos funcionários criativos?

Empresas falam muito em criatividade, empreendedorismo, ousadia e outras palavras bonitas. Só que, na prática, os funcionários mais criativos, mais empreendedores e, principalmente, mais ousados acabam trombando com o sistema e encontrando dificuldades para mostrar tudo o que sabem e podem fazer. Será que gênios como Einstein, Edison ou Da Vinci conseguiriam ser ao menos ouvidos nas empresas atuais? Será que, no fundo, empresas têm belos discursos para atrair bons candidatos mas preferem funcionários que saibam se enquadrar em seus processos?

É bem verdade que não existe uma vasta e abrangente liberdade intelectual em empresas. Quando empresas falam em criatividade, elas estão se referindo a uma criatividade restrita, dentro do quadradinho em que o funcionário atua. Empresas não contratam pessoas, principalmente nos níveis hierárquicos mais baixos, pensando que elas irão promover grandes transformações em curto prazo. Empresas querem funcionários capazes de executar tarefas predefinidas, e com pouca liberdade de ação.

Mas e como ficam os gênios da humanidade? Bem, os gênios foram e são pessoas fora da curva normal. Mas há casos interessantes que podem ser usados como exemplo, e um deles é Albert Einstein. Aos 21 anos ele tentou ser professor, mas não encontrou quem o empregasse.

Por intermédio de um amigo, conseguiu uma vaga burocrática de assistente no escritório de patentes da Suíça. E ali ficou alguns anos, lendo, despachando, carimbando e arquivando processos.

É interessante imaginar Einstein tentando explicar ao chefe que tinha algumas ideias revolucionárias. E, provavelmente, levando uma dura: "Albert, não é para isso que você é pago. Faça seu trabalho e pare de ficar imaginando como o universo funciona". Além de passar três anos em relativa obscuridade profissional, Einstein ainda foi descartado numa promoção. Porém, sem ter conseguido mudar a rotina do escritório onde trabalhava, ele mudaria a rotina do mundo.

Creio que Einstein é um bom exemplo para jovens criativos e empreendedores que se sentem tolhidos em empresas. Quem for bom encontrará seu caminho. Se não der para ser um em um milhão e entrar na enciclopédia, é perfeitamente possível ser um em mil e ter uma carreira muito bem-sucedida. O importante é aproveitar as poucas oportunidades que surgem para ser criativo e não ficar se queixando da falta delas. Mesmo porque, até hoje, na história da humanidade, não há uma só pessoa que tenha ficado famosa por reclamar que não teve oportunidade para mostrar seu talento.

Compreenda o funcionamento dos processos internos

Para subir na carreira, não basta ser dedicado e eficiente. É preciso ser puxa-saco e jogar sujo. Você já ouviu alguém dizer isso? Muita gente diz.

Mas vamos analisar a situação pelo outro lado. No Brasil, existe um milhão e meio de profissionais que ocupam cargos de chefia em empresas privadas e recebem salários que são, no mínimo, 20 vezes maiores do que o primeiro salário no primeiro emprego. Se dermos crédito às queixas dos reclamantes, esse milhão e meio de profissionais seria a escória moral do mercado de trabalho. Um batalhão de gente que só subiu na carreira porque jogou sujo. Será?

Claro que não. A outra maneira de explicar como esses privilegiados chegaram a esse patamar é a de tentar entender os critérios que uma empresa utiliza para promover alguém. Certamente, dedicação e eficiência estão entre eles. São dois fatores importantes, mas não os únicos. A empresa também considera, não necessariamente nessa ordem, capacidade de liderança, marketing pessoal sem puxa-saquismo, contribuições que vão além dos objetivos e adaptação à sua cultura.

Muitos profissionais passam anos executando a mesma função porque possuem apenas um ou dois desses fatores, mas não todos eles. Isso é ruim? Pelo contrário.

Funcionários assim são muito apreciados e elogiados. Só não são promovidos. Para quem tem ambições maiores, é importante saber se autoavaliar, mas muito mais importante entender como a empresa avalia quem será promovido e procurar se encaixar em todos eles.

Por isso, tenha sempre em mente que empresas não têm como meta prejudicar os eficientes e valorizar os medíocres. O mundo corporativo pode não ser perfeito, mas também não é tão imperfeito.

Em dinâmicas, seja dinâmico

É frustrante ver o tempo passar sem ter nenhuma oportunidade de promoção. Imagine então a frustração de ter uma oportunidade e perdê-la. Isso aconteceu com um jovem que conheço. Ele me contou a história, sem entender o que havia acontecido.

No setor em que ele trabalhava, foi aberta uma vaga de coordenador. Ele e mais três colegas foram os candidatos, e o processo que a empresa usou para decidir quem seria promovido foi uma dinâmica de grupo. Os quatro candidatos participaram de uma sabatina conjunta com o diretor da área. Bastava o jovem em questão dar as respostas corretas, impressionar o diretor, e pronto: a primeira promoção da carreira dele estaria no papo.

O diretor começou a dinâmica perguntando que contribuições os quatro candidatos poderiam dar como líderes. Depois, pediu que cada um falasse sobre seus planos para o futuro da empresa. E nosso jovem conseguiu se diferenciar dos colegas ao mencionar os rumos que ele via para a empresa nos próximos anos, levando em conta os avanços tecnológicos, a concorrência globalizada e a responsabilidade social.

Ele saiu da dinâmica com a certeza de que tinha conseguido a vaga, e ficou frustrado ao saber que não havia sido o escolhido. O que mais o surpreendeu, porém, foi o fato de que o colega que ganhara a promoção foi o que havia dado somente respostas comuns e sem imaginação. Por que motivo o diretor dera preferência ao menos impressionante dos quatro candidatos?

Todos nós conhecemos a história do sábio rei Salomão, que tinha de decidir qual era a verdadeira mãe de um bebê disputado por duas mulheres. Esgotados todos os argumentos, Salomão ordenou que a criança fosse cortada ao meio. Imediatamente, uma das mulheres pediu que o filho fosse dado inteiro à outra; e Salomão, em sua sabedoria, intuiu que aquela era a mãe verdadeira.

Mas vamos imaginar que o rei Salomão fosse um gestor moderno e tivesse feito uma última pergunta: "Mulher, se eu lhe der esta criança, como você a educará?" A primeira mãe responderia: "Sábio rei, farei dele um ser humano inteligente e visionário, que terá grandes ideias e oferecerá grandes projetos para melhorar o vosso reino". E a segunda responderia: "Grande rei, farei dele um soldado que saberá perecer por vossa glória no campo de batalha".

E o gestor Salomão, pensando com praticidade, entregaria o filho à segunda mãe. Foi o que ocorreu no caso de nosso jovem. A dinâmica não tinha como objetivo escolher o futuro vice-presidente de planejamento da empresa, mas apenas o próximo coordenador de um setor operacional. Por isso, venceu o candidato que, da forma mais simples, mostrou como poderia contribuir, em curtíssimo prazo, para a eficiência dos trabalhos. Essa foi a decisão mais justa? Talvez não, mas empresas não têm nem a grandeza nem a sabedoria do rei Salomão. Na hora de decidir, elas tendem a ser pragmáticas.

A história vale para quem for se candidatar à primeira promoção da carreira: não se preocupe, por enquanto, com a sustentabilidade da empresa no longo prazo; mantenha sempre o foco no que o trabalho irá exigir de você, a partir do instante em que assumir a função.

Você é viciado em trabalho?

***Workaholic* é o nome que se dá a quem vê no trabalho a razão de ser de sua vida.** No Brasil, a palavra tem sido usada em inglês mesmo, porque sua tradução seria quase impronunciável: *trabalhólatra*.

Embora muita gente admita, até com certo orgulho, que é *workaholic*, o termo foi originalmente criado para definir uma doença, não uma virtude. O *workaholic* é um doente. Existem vários tipos de *workaholic*, mas o pior de todos é aquele que tenta convencer os outros, principalmente a família, que é uma pessoa normal. Eu fiz uma lista das frases e atitudes mais usadas pelos *workaholics*.

1. As Férias. Frase típica: "Nas férias, não consigo me desligar. No trabalho, eu me sinto como se estivesse de férias. Portanto, tiro férias trabalhando".
2. A família. Frase típica: "Tenho certeza de que minha família compreende que eu faço todo esse sacrifício por ela e não por mim".
3. Alimentação. Frase típica: "Dentro das possibilidades, eu me alimento bem".
4. Exercícios físicos regulares. Levantar a xícara de café. Abaixar a xícara de café. Levantar de novo. Abaixar de novo. Repetir o mesmo exercício 12 vezes a cada hora.
5. Momentos de relaxamento. O *hobby* preferido de 99% dos *workaholics* é responder a e-mails aos domingos.

6. Enxergar o lado positivo. Frase típica: "Saio do trabalho todo dia às nove da noite para pegar menos trânsito".
7. Nunca se render ao óbvio. Frase típica: "Eu trabalho 14 horas por dia não pelo que vou ganhar com isso, mas porque isso me dá prazer".
8. Fazer planos inatingíveis. Frase típica: "Sabe qual é meu sonho? Viver em estado de contemplação numa montanha do Tibete".

O *workaholic* de carteirinha afirma com convicção que ele não é acelerado. Os outros é que são lentos. Se você não é *workaholic*, parabéns. O trabalho deve ser visto como um meio para conseguir algo e não como um fim em si mesmo. Se você é um *workaholic* assumido, parabéns também. Suas chances de disparar rapidamente na carreira serão muito maiores. Cabe a você procurar um equilíbrio minimamente satisfatório entre seu emprego e sua vida pessoal. Nem se matar de trabalhar nem ficar só criticando quem se mata.

O que é melhor, saber mandar ou saber delegar?

Há chefes que não ouvem sugestões. Eles dizem que manda quem pode e obedece quem tem juízo, além de tratar os subordinados como se fossem amebas com meio neurônio. Esse estilo de chefia é malvisto nos dias atuais ou o papo de delegação é mais ficção do que realidade?

Delegar é uma habilidade bem recente no mercado de trabalho. Durante séculos o que caracterizou a relação entre um superior e um subordinado foi a obediência. O superior mandava fazer e o subordinado fazia sem discutir, mesmo que não entendesse por que estava fazendo. Esse sistema, de origem militar, seria incorporado ao mercado de trabalho e perduraria por séculos. Foi só na década de 1950 que surgiu a expressão "delegar tarefas e responsabilidades". E, aos poucos, os chefes incapazes de delegar começaram a ser descritos como relíquias do passado, embora, como se vê por aí, esse passado ainda esteja bem vivo em muitas empresas.

Por que ainda existe tanta resistência em delegar? Primeiro, porque ao delegar o chefe não se livra da responsabilidade pelo resultado final. Se algo der errado, a culpa será dele. Segundo porque, ao contrário do que parece para quem não é chefe, mandar é mais fácil que delegar. Mandar leva um minuto. Já delegar requer não apenas muitas explicações, mas também a definição de limites para a tomada de decisões por parte do subordinado. Delegar requer também um acompanhamento constante por parte do superior, embora o subordinado sempre ache que tem plena capacidade para executar o trabalho sozinho e sem interferências.

Pode ser que um chefe não delegue porque não tem confiança nos subordinados. Ou pode ser que nunca tenha adquirido essa confiança porque jamais delegou. Ou pode ser que o chefe não tenha confiança nele mesmo e não delegue por receio de que um subordinado possa se destacar a ponto de ameaçar seu cargo.

Mas uma coisa é certa. Muitos subordinados que vivem reclamando que o chefe não delega mudam rapidamente de ideia quando se tornam chefes e viram autocratas de carteirinha. Saber delegar não é só um exercício burocrático. É uma arte restrita a quem confia muito em si mesmo e nos outros, mas também tem sensibilidade para avaliar até que ponto cada um é confiável. Faz tempo que se diz que chefes assim são o futuro do mercado de trabalho, mas o futuro nunca chega ao mesmo tempo em todas as empresas.

Então, a resposta é simples. Se você pretende se tornar chefe em sua empresa, descubra qual estilo de chefia ela aprecia mais. Se esse estilo não bater com o seu, você está na empresa errada.

Vítimas não progridem

Certamente, existem pessoas que são vítimas no mercado de trabalho. Vítimas de assédio, de discriminação ou de algum tipo de perseguição. Do mesmo modo, existem pessoas que se fazem de vítimas. Eu diria, com base em experiência prática, que o segundo grupo ganha do primeiro na proporção de dez para um. Vou dar três exemplos de reclamações bastante costumeiras.

1. Estou fazendo a mesma coisa há oito anos e ninguém me dá uma oportunidade. Só os puxa-sacos são promovidos.
2. Tenho 46 anos e estou sendo preterido por causa da idade.
3. Para conseguir um emprego, é preciso ter costas quentes. Já mandei mais de 200 currículos e não recebi nenhuma resposta.

A outra maneira de avaliar essas três situações é partindo da realidade do mercado.

1. Uma promoção não se ganha, se consegue. Quem não é promovido não conseguiu demonstrar algumas habilidades que serão necessárias no cargo seguinte. A principal delas é a liderança. O líder não vai provar que é líder depois que é promovido. Ele precisa

provar antes, ao ganhar o respeito dos colegas. O líder informal é aquele que todo mundo consulta, seja sobre assuntos de trabalho ou pessoais.

2 O índice de desemprego para profissionais acima de 40 anos não é alto. Proporcionalmente, é mais baixo do que o índice de jovens desempregados. No mais das vezes, o problema de quem não consegue emprego não é a idade, e sim a falta de atualização. Experiência conta na hora da admissão, mas há outros fatores também importantes. Um curso superior, a fluência em inglês, o conhecimento da informática.

3 Mandar currículos ou se cadastrar em sites tem retorno baixo. Dependendo da área, entre 60% e 90% das boas vagas são preenchidas por indicação direta. Uma rede de contatos vale muito mais do que um caminhão de currículos.

Em resumo, fazer-se de vítima é pecar por omissão. É deixar de fazer o que outros fizeram ou estão fazendo e transferir a responsabilidade para fatores cuja explicação é a mais fácil, mas não necessariamente a mais correta. Quem se faz de vítima sempre encontrará desculpas. Quem quiser ter uma carreira segura e sem derrapagens sempre encontrará caminhos.

Use o marketing pessoal. Mas não abuse.

Existem funcionários, e não são poucos, que mostram dedicação e eficiência mas não conseguem uma promoção. Por quê? Porque eles estão fazendo tudo certo, mas estão esquecendo o marketing pessoal. E o que é isso? É tudo o que você faz para polir e realçar a sua imagem dentro da empresa. Basicamente, você precisa aprender a aparecer. No bom sentido. Vamos então a uma listinha dos dez fatores que compõem o bom marketing pessoal.

1. Liderança. Antes mesmo de ter um cargo, um funcionário pode influenciar seus colegas, muito mais do que é influenciado por eles. Ele se torna um formador de opinião e as empresas percebem isso rapidamente.
2. Confiança. Alguns funcionários são consultados por seus colegas sobre assuntos de trabalho ou mesmo sobre assuntos que nada têm a ver com o trabalho. Outros baixam a cabeça e só fazem o que têm de fazer.
3. Visão. É alguém entender o que está fazendo e por que está fazendo. E sugerir pequenas mudanças que podem melhorar o próprio trabalho.
4. Espírito de equipe. É oferecer ajuda aos colegas sem ser solicitado. É se preocupar com que o trabalho dos outros também saia bem feito.

5. Maturidade. É saber solucionar conflitos sem provocar mais conflitos. É saber apaziguar discussões entre colegas e propor soluções que os outros considerem apropriadas.
6. Integridade. É fazer seu trabalho sem prejudicar ninguém. É não ser excessivamente ambicioso nem querer atropelar quem aparecer pela frente.
7. Visibilidade. É se oferecer para fazer uma apresentação. É ser o primeiro a erguer a mão quando se precisa de um voluntário para uma tarefa. É se apresentar para compor um grupo de trabalho ou para ajudar a implantar um programa novo.
8. Empatia. É saber elogiar o trabalho de um colega e reconhecer os méritos dos outros. Quem elogia é elogiado. Quem só critica sempre acaba sendo criticado.
9. Otimismo. É conseguir enxergar o lado positivo de qualquer situação, principalmente aquelas que parecem ruins. É ser bem-humorado e aceitar eventuais críticas. Pessoas assim ajudam a criar um ambiente de trabalho saudável.
10. Paciência. É saber a hora certa de pedir uma oportunidade, em vez de ficar reclamando que a empresa não dá oportunidades.

Quem sabe usar bem no mínimo sete desses dez fatores seguramente irá decolar na carreira. Marketing pessoal não é criar uma imagem vazia. É, além de apresentar bons resultados, saber sobressair sem ser chato e conseguir simpatias sem ser puxa-saco.

Contra a intriga, use sua habilidade política

"Aquela" oportunidade finalmente apareceu. Há uma vaga de chefia em sua empresa e você parece ser o mais indicado para ocupá-la. Porém, surgiu um empecilho inesperado. Um colega seu também está de olho na vaga. Só que ele decidiu jogar sujo, espalhando pelos corredores da empresa que você disse coisas que nunca disse. Por exemplo, que você fez críticas pesadas à empresa e aos diretores.

Pelo que você soube, a decisão sobre o novo chefe será anunciada dentro de uma ou duas semanas. Logo, você tem tempo para reagir, mas seu colega também tem tempo para tentar comprometer de vez a sua imagem. O que você deve fazer para neutralizar essa atitude antiética de seu colega? Um confronto direto com ele? Ou seria melhor procurar um diretor e expor a sua versão da situação? Ou, simplesmente, ficar calado porque acredita que a diretoria saberá decidir com justiça?

A opção do confronto não é boa. Há um ditado que diz "Nunca desça ao nível de um ignorante numa discussão porque os outros não saberão quem é quem". A segunda opção também não é boa. Se você procurar um diretor, irá levantar uma lebre que não precisa ser levantada. E a terceira opção, a de não fazer nada, é a pior de todas. O mais recomendável é neutralizar a opinião do mentiroso por meio de pessoas em quem você e os diretores confiam.

Diretores sempre têm um pequeno grupo de pessoas de confiança que estão na empresa há mais tempo. Gerentes e secretárias, por exemplo. Nunca duvide do poder das secretárias, porque elas têm uma influência enorme.

Essas pessoas é que devem informar à diretoria a existência de boatos maliciosos, sem mencionar quem é o autor deles, e enfatizar que você é realmente a pessoa certa para o cargo. Isso é o que se chama de habilidade política, a arte de costurar alianças. Chefes precisam ter essa habilidade. Por isso, encare a situação presente não com raiva, mas como o seu primeiro grande teste como chefe.

Entenda que ser inflexível é diferente de ser autêntico

Você participou de um processo interno de seleção para uma vaga de chefia. Foi bem na parte técnica e nas entrevistas individuais, mas a última etapa foi uma dinâmica entre os cinco finalistas. E aí você dançou. Foi descartado porque, segundo o coordenador da dinâmica, você deu mostras de ser muito inflexível.

Você nunca teve essa impressão sobre si mesmo. Pelo contrário, você sempre se considerou flexível. Agora, além de não ter conseguido a chefia, você ainda ficou com um rótulo que, se não for corrigido em tempo, poderá prejudicá-lo em futuros processos. Por que será que você passou essa impressão falsa ao coordenador da dinâmica?

Vamos começar concordando que a inflexibilidade, de fato, prejudica carreiras. É a característica de quem não ouve o que os outros têm a dizer porque está convencido de que sua própria opinião é definitiva e suficiente. Um dia, quando você for presidente da empresa, ganhará o direito de ser mais ou menos assim. Mas, para conseguir seu primeiro cargo de chefia, terá de mostrar flexibilidade.

A primeira característica do inflexível é a de negar que seja. Todo inflexível se considera autêntico e seguro de suas convicções. Mas o coordenador não teria chegado a essa conclusão se você não tivesse dado, durante a dinâmica, repetidas demonstrações de inflexibilidade aguda.

Mas vamos ao seu futuro, que é o que interessa. Para poder ser considerado para futuras oportunidades, você precisará começar a mostrar desde já, no seu dia a dia, que é bastante flexível.

A tática é começar concordando, para depois discordar. Quando um colega fizer uma afirmação e você tiver uma opinião oposta, diga algo assim: "O ponto do colega é muito válido e não há como discordar dele, mas eu gostaria de abordar a questão por outro ângulo". E aí você emite seu parecer. Não ofendeu, não desagradou, e foi ouvido.

Outro ponto importante é não interromper quem estiver falando. O inflexível é sempre impaciente e já mostra isso nos gestos, antes mesmo de cortar o colega. Finalmente, você não deve confundir flexibilidade com concordância geral e irrestrita. Chefes tendem a ser inflexíveis quando a situação exige uma posição mais dura e empresas apreciam isso. Mas o verdadeiro inflexível se revela quando não precisa discordar, e discorda. Quando poderia ouvir, e não ouve. Quando não precisaria interromper, e interrompe. Essa é a inflexibilidade sem causa, que de fato cria um rótulo indesejável, mas é facilmente corrigível.

Como é que tanta gente mediana já chegou a uma chefia e você ainda não?

Você é crítico na medida certa. E é também um bom observador. Por isso, com base em suas observações, já chegou à conclusão de que muitos profissionais que ocupam cargos de chefia em empresas não mereciam essa distinção.

Não são poucos os chefes que lhe passam a impressão de não ter qualidades que justifiquem a posição que ocupam. Não são pessoas aparentemente mais inteligentes que a média. Não são profissionais com larga experiência ou com muitos cursos. E você fica se perguntando por que eles chegaram, e você ainda não. Será falta de sorte?

Como dizia Sherlock Holmes, quando se elimina de uma equação o impossível, o que sobrar, mesmo que pareça improvável, deve ser a verdade. Vamos então começar eliminando da equação os estereótipos. Não existe uma descrição do gerente ideal que possa ser aplicada igualmente a todas as empresas. Os motivos que levam um profissional a uma posição gerencial variam bastante.

Aqui vai uma pequena lista, sem ordem de importância: o tempo de casa, a confiança do patrão, os resultados práticos, o marketing pessoal, o fato de ser amigo ou parente de alguém influente. Não é preciso ter todas essas coisas. Uma delas basta, se a empresa em questão atribuir a ela uma importância maior do que atribui a todas as outras.

Cada um dos chefes que você conhece tem, pelo menos, uma dessas qualidades. E é aí que vem a sorte. Determinada qualidade pode não saltar aos olhos de quem avalia de fora, mas pode ser a mais desejada por uma empresa específica. E alguém apenas mediano, que só possua aquela qualidade, pode dar a sorte de arranjar um emprego exatamente naquela empresa.

Por isso, se você quiser ser chefe, só precisa entender o que a empresa em que trabalha deseja de um chefe. O que as outras empresas do mercado desejam, ou apregoam, não tem importância, porque cada uma tem seus próprios critérios, e nenhuma delas está lhe oferecendo a possibilidade imediata de ser chefe.

Após entender o que é preciso ter e mostrar para chegar a chefe em sua empresa, procure se adequar a esses padrões. Mais que isso, procure acreditar neles e defendê-los. A verdade, como diria Sherlock Holmes se ele fosse consultor de empresas e não detetive, é que todos os chefes que você considera inaptos em muitos pontos mostraram uma tremenda aptidão em um ponto só. Mas era o ponto que uma empresa mais prezava e foi ele que lhes garantiu a promoção.

Aprenda a ser
chefe

SE VOCÊ JÁ É CHEFE...

Aprenda a ser
chefe

Não frustre as expectativas de seus subordinados

Um dos momentos mais eletrizantes em uma empresa é a chegada de um novo chefe. Dificilmente, a primeira reação dos subordinados será a de menosprezá-lo ou rejeitá-lo. Pelo contrário, ele ganhará um crédito inicial para demonstrar que é a pessoa certa para o cargo. E aí todos ficarão esperando para ver o que acontece.

Pode dar errado? Pode, e muito, se o novo chefe já chegar crente de que seus subordinados são incompetentes e que somente mudanças radicais resolverão o problema. A gestão de um chefe assim é como uma gravidez, porque em geral dura nove meses. E funciona assim:

- No primeiro mês, ele só reclama que está tentando entender a situação, mas está difícil porque aquilo é uma bagunça.
- No segundo mês, ele contrata duas ou três pessoas capazes de entender a sua filosofia de trabalho — ou seja, cúmplices — e dispensa dois funcionários antigos.

- No terceiro mês, ele já tem certeza de que tudo o que foi feito antes de ele chegar estava errado. E dispensa mais um funcionário antigo.
- No quarto mês, ele informa que estão sendo elaborados planos infalíveis para mudar a situação. E demonstra isso dispensando outro funcionário antigo.
- No quinto mês, finalmente, ele coloca os novos planos em funcionamento.
- No sexto mês, ele descobre que nada aconteceu, mas esclarece que mudanças são assim mesmo, os resultados demoram um pouco para aparecer.
- No sétimo mês, ele percebe que seu plano não vai dar certo, mas explica que alguns detalhes operacionais estão sendo revisados. E, para mostrar que está falando sério, ameaça dispensar todo mundo.
- No oitavo mês, ele já perdeu a razão e começa a fazer ameaças: ou as coisas passam a funcionar como devem ou todo mundo será dispensado.
- No nono mês, o chefe é demitido.

Vida de chefe novo, portanto, tem duas fases. A que ele fica culpando o passado e a que ele tem de mostrar resultados. O chefe que dá certo é o que se preocupa em entender o que fará cada subordinado produzir mais e melhor. Nessa fase, saber escutar e distribuir elogios merecidos fará muita diferença para estabelecer uma relação de confiança mútua. Somente depois de ter certeza de que a tropa confia nele é que o novo chefe poderá comandá-la.

Fui promovido. E agora?

Finalmente, seu sonho se realizou. Você foi promovido a chefe de seus antigos colegas. Uma dúzia deles. No momento em que recebeu a notícia, você pensou que aquilo era uma maravilha, mas aos poucos está mudando de ideia.

Acontece que seus ex-colegas e agora subordinados começaram a cobrar algumas coisas que você vivia falando quando todos tinham funções iguais. Por exemplo, você não se cansava de dizer que o grupo ganhava pouco. Logo, não é de estranhar que seus subordinados esperassem que a primeira coisa que você fosse fazer como chefe seria conceder um aumento geral. Você também comentava que a empresa não pagava cursos para os funcionários, e, dois dias após a promoção, todo mundo foi lhe pedir um curso.

Mas, como chefe, você já percebeu que essas e outras reivindicações não são tão fáceis assim de conseguir. Resultado: os subordinados estão ficando frustrados e você está ficando estressado porque não sabe como conseguir que todos se dediquem ao trabalho e deixem de incomodá-lo a toda hora.

Em primeiro lugar, tenha em mente que a empresa não promoveu você para defender o ponto de vista dos funcionários. Você foi promovido para defender o ponto de vista da empresa. Em segundo lugar, você não teria sido promovido se a empresa não visse em você alguém capaz de se comportar como chefe. E isso significa que você tem de parar de pensar como subordinado e começar a pensar como chefe. Tente fazer o melhor pelos seus funcionários e, se não conseguir, não coloque a culpa na direção da empresa. Quem faz isso é líder sindical, e não chefe.

Finalmente, aprenda a exercer sua autoridade. Se algum subordinado lhe disser: "Mas não era isso que você dizia antes", explique que você não mudou. O que mudou foi a situação. Você continua achando tudo o que achava antes, mas não pode colocar o carro na frente dos bois. Primeiro, você precisará mostrar resultados como chefe para depois, conseguindo a confiança de seus superiores, poder apresentar a eles suas reivindicações, uma de cada vez.

Se você for firme, mas justo, em três meses tudo voltará ao normal. Ou seja, você passará a ser respeitado, porque agora é chefe. E não deixará de ser criticado, porque agora é chefe.

O que significa ter um time unido?

Você já se cansou de ouvir que toda empresa precisa ter um time forte, um time unido, um time vencedor. E isso é muito importante. Mas, para entender o conceito de time, antes de mais nada é preciso entender de onde veio a palavra "time". Ela existe há séculos e, no inglês arcaico, significa "puxar". Por isso, em sua origem, a palavra era aplicada aos bois que puxavam os arados.

Evidentemente, para que o time de bois funcionasse bem, todos os animais tinham de puxar ao mesmo tempo, na mesma direção e com a mesma força. Naquela época, os bois que demonstravam ter mais vontade que seus companheiros acabavam atrapalhando o time e viravam churrasco. Foi só no século 16, quando a palavra "time" começou a ser aplicada também a seres humanos que executavam um trabalho em conjunto, que os proprietários de times humanos perceberam que teriam de lidar com uma novidade: o talento.

Todo time tem sempre alguém que é mais talentoso que o restante. E, não por acaso, no século 19 os ingleses passaram a chamar suas equipes de futebol de times. Porque os times, para serem vencedores, precisavam dos jogadores esforçados e disciplinados, que garantiam os bons resultados, mas não podiam prescindir dos talentos, que corriam menos e não gostavam de receber ordens, mas podiam resolver a partida com uma jogada criativa e inesperada. Os melhores times da história, tanto no futebol quanto nas empresas, são os que conseguiram achar um lugar para o talento e dar a ele, ocasionalmente, a chance de brilhar sozinho.

Por isso, quando um chefe afirma, orgulhoso, "Nós temos um time unido", é preciso saber em que século ele está pensando: se no século 16, quando os talentos eram desprezados e todo mundo tinha de ser igual, ou se no século 21, quando uns poucos podem ser diferentes. Uma de suas obrigações como chefe é a de reconhecer os mais talentosos em seu time e usá-los como exemplo positivo para os demais subordinados.

Saiba criticar, mas sem exagerar

Qual a maneira mais eficaz de criticar um subordinado que está precisando de um empurrão? É o sistema PNP; iniciais de positivo-negativo-positivo. Empresas modernas e humanas adotam esse procedimento, que funciona da seguinte maneira: a crítica fica no meio da frase, espremida entre dois elogios.

Por exemplo, o chefe chega para o funcionário e diz: "Eu sei que você vem se esforçando ao máximo. Só que, se você cometer mais um erro, serei obrigado a tomar medidas que eu não gostaria. Mas tenho certeza de que isso não vai acontecer, porque você é inteligente". Assim, em teoria, o subordinado ficaria satisfeito, pelo menos do ponto de vista estatístico, porque recebeu dois elogios e só uma crítica.

A única desvantagem do sistema PNP é que o criticado tende a só escutar a crítica, porque é assim que a natureza humana funciona. Imaginem um marido dizer à mulher, no melhor estilo PNP: "Esse vestido é muito bonito. Só está um pouquinho justo. Mas, tirando isso, ficou ótimo". E a mulher, se for normal, responderá: "Você está me chamando de gorda?"

Por algum motivo, muitos chefes acreditam que elogiar um funcionário é perda de tempo porque, afinal de contas, ele está sendo pago para fazer o trabalho. Não é bem assim. O reconhecimento por um esforço adicional faz com que a produtividade e o ambiente melhorem. Há também chefes que evitam criticar porque imaginam que isso aumentará o descontentamento do grupo. Você, como chefe, não precisa ter dúvidas. Adote o PNP. Dois elogios para cada crítica e você passará a ser visto como justo e exigente, que é tudo o que um bom chefe precisa ser.

E quando você tiver de demitir um subordinado?

Demitir alguém é uma experiência angustiante. Não por acaso, quando um candidato a um cargo de chefia é entrevistado, uma das perguntas que ele ouve é esta: "Quantas pessoas você, pessoalmente, já demitiu?" Porque demitir pessoas revela muita coisa sobre um candidato. Mostra sua disposição, sua eficiência e sua resistência a uma situação de pressão.

Se a resposta do candidato a chefe for "nenhuma", o entrevistador chamará um assistente para continuar a entrevista. Se for mais de dez, o entrevistador perguntará se o candidato aceita um cafezinho. Se for mais de 50, outro cafezinho, mas agora com direito à opção entre açúcar ou adoçante. E, se for mais de 100, o entrevistador pedirá um chazinho. Para ele mesmo, para aplacar sua ansiedade, porque ele sabe que está diante de um chefe diferenciado.

Se você começou a ser chefe agora e ainda não precisou demitir ninguém, não se iluda: esse dia irá chegar. E, quando ele chegar, você poderá utilizar os chamados *quatro passos para uma demissão eficaz*, que são os seguintes:

1. Seja rápido. Não fique fazendo perguntas do tipo "tudo bem?" ou "como vão as coisas?" Diga apenas: "Fulano, você está demitido".
2. Fique em silêncio por alguns instantes. Nessa hora o demitido estará pensando mil coisas: "Por que eu?",

"O que será de mim?", e não vai escutar nada do que você eventualmente disser.
3 Chame alguém de recursos humanos para explicar a parte burocrática ao demitido.
4 Encerre o papo sem palavras de conforto, porque elas são inúteis.

Essa é uma técnica que foi importada do hemisfério norte, onde o clima é frio e as pessoas também. No Brasil, é diferente. Nós somos um povo sentimental. Nós choramos, nos abraçamos e nos emocionamos. A melhor resposta que eu ouvi até hoje quando perguntei a um candidato a chefe quantas pessoas ele tinha demitido foi esta: "Nenhuma, graças a Deus. Mas eu demitiria, com imensa satisfação, o cara que inventou essa pergunta". E aí eu pedi dois chazinhos. E contratei o candidato.

Infelizmente, no mercado de trabalho, existem cada vez menos pessoas como aquele candidato. A maioria prefere acreditar mais na frieza das regras importadas do que no calor da própria sensibilidade. Se você se sente confortável sendo insensível, então use os quatro passos. Caso contrário, seja humano. Emocione-se. Chore, se for preciso. O demitido vai saber que você prefiriria não ter de tomar aquela decisão extrema. Além disso, coloque-se à disposição para dar referências sobre o demitido em futuros processos seletivos. Isso, é claro, se ele fez por merecer sua consideração. Se ele sempre foi um subordinado casca de ferida, aí dê preferência aos quatro passos.

Como tratar um subordinado? A receita é milenar

É difícil dizer quantas religiões já existiram, desde que o mundo existe. Milhares, provavelmente. Mas, nos dias de hoje, existem cinco grandes correntes religiosas que representam as crenças de praticamente toda a população de nosso planeta. Essas cinco religiões são o cristianismo e suas ramificações (católica, ortodoxa e evangélicas), o judaísmo, o hinduísmo, o budismo e o islamismo. Por causa do tamanho de sua população, a China também é representada pelo taoísmo e pelo confucionismo.

Essas sete correntes religiosas não têm o mesmo deus nem os mesmos cultos, os mesmos rituais ou a mesma visão sobre a vida eterna. Mas, mesmo sendo tão diferentes entre si, todas elas têm uma coisa em comum. Uma única e simples frase: "Não faça aos outros aquilo que não quer que os outros façam a você". Essa é a única frase que se repete, e praticamente sem variação, nos livros sagrados de todas as religiões. O livro sagrado do judaísmo, o Talmude, diz: "O que não for lhe fazer bem, não faça a ninguém". O Mahabarata, do hinduísmo, diz: "Não cause aos outros a dor que você não gostaria de sentir".

O que varia, de uma religião para outra, é a recompensa oferecida a quem cumpre esse preceito, talvez o mais antigo do mundo e, muito provavelmente, também o mais desrespeitado do mundo através da História.

No campo terreno, as leis e os tribunais de justiça foram criados a partir dessa frase. O mais importante, porém, é que a frase extrapola as próprias religiões. Por isso, um chefe — você, por exemplo — nem precisa acreditar numa força divina para tratar seu subordinado com o mesmo respeito com que gostaria de ser tratado se estivesse na situação dele.

Não esconda de seus subordinados o que você sabe

Em 1955, o filme *Os dez mandamentos* ganhou um Oscar de efeitos especiais. O momento mais fantástico do filme era a cena em que o Mar Vermelho se abria, permitindo a passagem do povo de Israel e fechando logo em em seguida, engolindo o exército do Egito.

Esse truque de filmagem foi feito em absoluto sigilo, e o diretor Cecil B. de Mille jamais revelou os detalhes de sua criação porque, se outros diretores pudessem copiar aquele truque, ele perderia o encanto e a magia. Nos dias de hoje, um filme cheio de efeitos especiais já vem acompanhado de um segundo filme, chamado *making of*, em que é explicado, com detalhes, como cada truque de filmagem foi realizado.

O mercado de trabalho acompanhou essa tendência. Houve uma época em que uma pessoa valia só pelo que ela sabia. Os chefes não explicavam nada a seus funcionários porque, acreditava-se, se o funcionário soubesse o que só o chefe sabia, ele se transformaria em uma ameaça para o cargo do chefe. Ou, quem sabe, iria revelar os segredos da empresa ao concorrente quando mudasse de emprego.

Por trás dessa história, existe uma grande mudança de atitude. A lógica dos criadores de efeitos especiais do cinema é simples. Um segredo é revelado. Aí, os concorrentes passam um ano tentando reproduzi-lo. Durante esse tempo, quem criou o efeito ganha um ano de vantagem para criar efeitos novos. Assim, estará sempre na frente da concorrência.

Há 30 anos, o chefe padrão era aquele que, de vez em quando, dava um peixe a seu funcionário. Hoje, o chefe padrão é o que ensina o funcionário a pescar. Porque, enquanto o funcionário estiver ocupado aprendendo a pescar, o chefe já estará aprendendo a voar.

Aprenda a usar exemplos para ilustrar o que você espera dos subordinados

Como todo chefe sabe, existem funcionários que dão respostas rápidas, sem pensar, sem nem pedir tempo para calcular ou para procurar dados. Respondem porque acham que têm de responder. E só depois vão descobrir que deram a resposta errada.

Um dia, um chefe se cansou de ouvir tantos chutes. Reuniu seus funcionários e propôs um teste bem simples, o *teste do papel sulfite*, que funciona assim: Pegue uma folha de papel sulfite. Dobre ao meio. Dobre ao meio de novo. E de novo. E de novo. Tecnicamente, só será possível chegar na sétima dobra. E, mesmo assim, com muito esforço.

Com a sulfite dobrada na mão o chefe disse aos funcionários: "Vamos supor que fosse possível continuar dobrando a folha ao meio, e que vocês conseguissem chegar na vigésima dobra. Nesse momento, vocês teriam um retângulo bem pequenino. Mas qual seria a altura do papel dobrado?"

Como o chefe esperava, todos os funcionários imediatamente arriscaram um palpite. O mais exagerado sugeriu que a altura seria de mais de um palmo, e os demais riram. O chefe perguntou se alguém queria sair da sala para fazer os cálculos e depois retornar com a resposta, mas ninguém quis. Então ele deu o resultado.

Uma folha de sulfite, dobrada 20 vezes seguidas ao meio, ficaria com uma altura de quase 90 metros. Evidentemente, todo mundo disse: "Não é possível". E o chefe disse que não só era possível como era verdade. O problema é que os funcionários tinham feito a mesma coisa que sempre faziam. Responder sem pensar direito, achando que já sabiam a resposta. A partir daquele dia, quando alguém chutava, o chefe só perguntava: "Você fez o teste do papel sulfite?" E o funcionário, sem se sentir ofendido, ia procurar a resposta.

Você quer ser o chefe do passado ou o chefe do futuro?

Talvez você tenha tido um chefe tirano. Um chefe tirano é aquele que não ouve ninguém, não respeita ninguém e fica irritado quando alguém tem uma ideia perto dele. Porque ter ideias é uma prerrogativa exclusiva do chefe tirano.

Você já leu em várias revistas e jornais que chefes tiranos são coisa do passado. Só que surge então a dúvida sobre qual será o futuro. Os chefes tiranos continuarão a existir? Sim, eles continuarão. Por algum tempo. O problema é que nada neste mundo termina de repente, exceto o salário do trabalhador.

Olhando pelo lado positivo, os chefes tiranos estão mesmo em extinção. Existem muito menos chefes tiranos hoje do que há 50 anos. Mas esse é um processo meio demorado. E, infelizmente, normal. Na história da humanidade, o progresso e o atraso sempre caminharam lado a lado. Hoje, apesar de todo o avanço tecnológico, ainda existe na Austrália uma tribo de aborígenes que só sabe contar até três.

Mas a grande pergunta é outra: por que empresas ainda insistem em manter os chefes tiranos, se eles estão fora de moda? Elas os mantêm porque a história mostra que a tirania traz resultados. Não resultados duradouros, é verdade. Mas, hoje em dia, muitas empresas estão mais preocupadas com o curto prazo do que com o longo prazo. O pior é que nem adianta tentar manter um diálogo civilizado com um chefe tirano. Porque ele não gosta de palavras. Ele gosta de números. E, não raramente, a paciência dele é tão curta que ele só sabe contar até três.

Você, como chefe, tanto pode adotar o estilo tirano quanto o estilo conciliador, agregador, respeitoso. Qual desses dois estilos se parece mais com o que você realmente é? E, principalmente, qual deles é mais incentivado em sua empresa? Para ter uma longa e bem-sucedida carreira como chefe, você precisará ser o que é, mas também ser o que a empresa em que você trabalha espera que você seja. Se o estilo tirano não lhe agrada, mas você já percebeu que ele agrada à sua empresa, não tenha dúvidas em procurar outra empresa, uma que lhe permita ser o chefe que o fará acordar de manhã com vontade de ir trabalhar.

Seus ex-subordinados continuam procurando você, mesmo depois de ter mudado de setor?

Isso acontece em muitas empresas. Um bom chefe é convidado a mudar para outro setor que está precisando de um bom chefe. Quando isso ocorre, não é incomum que os ex-subordinados se sintam órfãos e continuem a procurar o ex-chefe para pedir conselhos, relatar situações ou comentar que o seu substituto não é tão bom.

Imagine-se nessa situação. É claro que você se sentirá satisfeito por ter deixado uma imagem tão marcante nas pessoas que trabalhavam com você. Por isso, não se incomoda, muito pelo contrário, em eventualmente servir como uma espécie de consultor emocional ou profissional para quem estiver precisando de um conselho seu.

Só que isso é antiprofissional. Seus antigos subordinados têm um novo chefe na posição que você ocupava. Ao orientar seus ex-subordinados, você está atropelando a hierarquia e desrespeitando a figura do novo chefe. Ao mudar de setor, você pode, e deve, manter os vínculos de camaradagem, mas deve cortar imediatamente os vínculos profissionais.

Seus subordinados estão falando com você porque é mais fácil para eles. Mas imagine como você se sentiria se os seus novos subordinados, na área para a qual você foi transferido, estivessem pedindo sugestões e conselhos ao antigo chefe deles. Você, com toda razão, se sentiria diminuído.

Se você quiser continuar ajudando seu antigo setor, ofereça seus préstimos diretamente ao novo chefe. E deixe a critério dele solicitar, ou não, o seu auxílio. Quanto aos ex-subordinados, a melhor sugestão que você pode lhes dar é pedir que respeitem e apoiem o novo chefe. Caso contrário, e mesmo com a melhor das intenções, o que você estaria fazendo seria incentivar seus antigos subordinados a confundir espírito de equipe com panelinha.

Motivar corretamente faz toda a diferença

Praticamente todas as empresas enfatizam a necessidade de seus funcionários vestirem a camisa e darem o máximo de si para que os resultados sejam alcançados. Tanto que quase todas as empresas que eu conheço já fizeram uma campanha interna com o título "Você faz a diferença".

Acontece que pesquisas feitas em todo o mundo mostram que um número relativamente baixo — entre 15% e 25% dos funcionários, dependendo do país — está realmente concentrado nos objetivos da empresa. Não é que os funcionários desejem, conscientemente, que a empresa vá mal ou que ela dê prejuízo. Muito pelo contrário. O que acontece na prática é que o trabalho se torna repetitivo e isso faz com que o entusiasmo do funcionário comece a diminuir conforme o tempo vai passando e nada de novo acontece.

Nas pesquisas, as empresas que tiveram o maior número de funcionários comprometidos foram as que adotaram quatro medidas que você, como chefe, precisa conhecer. Vamos a elas:

1. Metas individuais de curto prazo, claras e desafiadoras.
2. Premiação generosa para aqueles que conseguiram atingir suas metas.
3. Trabalho conjunto em projetos que envolvam outras áreas da empresa.

4 Participação em cursos e treinamentos dentro e fora da empresa.

Ou, resumindo em quatro palavrinhas: desafio, reconhecimento, interação e desenvolvimento. Muitas empresas fazem essas quatro coisas, mas só a partir de determinado nível hierárquico, por exemplo, de gerente para cima. As empresas que têm um grande número de funcionários comprometidos fazem isso com todos eles, começando lá no rodapé do organograma.

Isso custa caro? Custa. E essa é a decisão que faz a diferença. As empresas com 25% de funcionários comprometidos são as que enxergam a despesa. As empresas com 75% de funcionários comprometidos são as que enxergam o retorno do investimento.

Evite passar a imagem de sabe-tudo

Você era chefe em uma empresa e foi contratado para ser chefe em uma concorrente. Seus resultados na empresa anterior foram tão bons que chegaram aos ouvidos de alguém importante na nova empresa. E então veio o convite para mudar, que você ponderou e aceitou. E agora está prestes a encarar uma nova turma de subordinados.

O primeiro dia de um chefe em uma nova empresa é sempre o mais complicado. Uma vez, numa empresa onde trabalhei, nós contratamos um chefe e ele foi convidado a participar de uma reunião e se apresentar aos novos colegas. Era o primeiro contato dele com a gente. Aí, ele levantou, abriu o *laptop*, tomou um gole de água e finalmente disse: "Hoje é o meu primeiro dia na empresa". E o diretor cortou: "E se você continuar a enrolar vai ser o último".

Isso acontece porque empresas são organismos vivos. Da mesma maneira que, em um transplante, um órgão sadio pode ser rejeitado pelo novo corpo, também o corpo de subordinados de uma empresa pode rejeitar um novo chefe. Mesmo que ele tenha chegado precedido por notícias de que era excelente na empresa anterior. Porque lá era lá, e aqui é aqui.

Por isso, seguem duas dicas simples de sobrevivência de um chefe recém-contratado no novo emprego. Primeiro, não fique mencionando a sua última empresa como modelo. Se ela fosse mesmo tudo isso que você está dizendo, você ainda estaria nela. Segundo, não se preocupe em ter uma resposta perfeita para qualquer situação, porque ninguém tem. Muitas vezes, responder "não sei" pode render a admiração dos subordinados pela sua humildade, enquanto responder sempre "eu sei" pode ser considerado um sinal de arrogância. Ou então, se você sabe tudo mesmo, pode causar uma onda de inveja, o que também não é bom.

Lembra do tempo de escola, quando o primeiro a levantar e entregar a prova era visto com irritação e desaprovação pelos demais colegas? Nós ali, sentados nas nossas carteiras, só com metade da prova feita, na verdade ficávamos irritados com a nossa própria incompetência. Só que essa irritação era imediatamente transferida para o colega que entregou a prova. E, no intervalo, a gente grudava um chiclete no cabelo dele, pra ele deixar de ser besta. Por outro lado, na escola, nós gostávamos daqueles colegas que nos auxiliavam em nossos trabalhos escolares, principalmente aqueles que não precisavam ficar repetindo que eles eram mais inteligentes que nós, porque nós já sabíamos que eles eram mesmo.

Da escola para a empresa, pouca coisa muda. Nós continuamos gostando do cara legal que colabora com todo mundo e continuamos detestando quem faz questão de ficar mostrando, a cada minuto, que é melhor que o resto. Isso, no caso de colegas de mesmo nível hierárquico. No caso de chefes novos, a reação é exponencialmente maior. Muitas vezes, ele não precisará mais do que uma hora para mostrar que é o chefe que todo mundo ansiava ter ou o chefe que ninguém quer ter.

Faça apresentações inesquecíveis

Falar bem em público é uma das melhores qualidades que um chefe pode ter. Mais até do que uma qualidade, é uma necessidade. Só há um problema: falar em público é uma coisa que as universidades não ensinam, embora ela seja muito mais importante para a carreira do que qualquer teoria de Administração.

Vamos então a cinco dicas para você desenvolver sua habilidade de encantar a audiência, seja ela composta por subordinados, colegas de trabalho ou profissionais de outras empresas.

Primeira, e a mais importante. Qualquer plateia decide, nos primeiros 30 segundos, se vai ou não gostar do apresentador. Se gostar, perdoará os erros que ele cometer (e até hoje ainda não nasceu quem não cometa erros em uma apresentação). Se a plateia gostar muito do apresentador, até o pigarro dele será aplaudido. Mas, se ela criar uma antipatia imediata, dali em diante a tarefa dele será mais difícil que trocar um pneu furado com o carro andando.

Segunda dica: a plateia é alfabetizada. Muitas podem até não parecer, mas todas são. Muito apresentador se esquece desse detalhe e fica lendo, palavra por palavra, um quadro que está sendo projetado na tela.

Terceira dica: se a apresentação é muito importante e você está nervoso, isso significa que você é normal.

E ninguém precisa ficar se desculpando por ser normal. Não tente angariar simpatias explicando que você é tímido ou que não teve tempo para elaborar o material como gostaria. Vá direto ao ponto.

Quarta dica: informe antecipadamente quanto tempo sua apresentação vai durar e mantenha-se dentro do prazo que você mesmo estipulou. Quanto menor o tempo que você informar, maior o nível de atenção que irá conseguir.

Quinta dica: se você não está acostumado a fazer apresentações, prepare-se para não ser apanhado de surpresa. Reúna seus subordinados, prepare algum material do interesse deles e informe a todos que está usando aquele momento para aprender. Depois de meia dúzia de apresentações nas quais não estará colocando sua função em risco, você estará pronto para encarar audiências mais seletas.

Incentive seus subordinados a pensar

Uma empresa é mais ou menos como um formigueiro, com a diferença de que o formigueiro é mais bem organizado. Ao contrário dos seres humanos, as formigas são disciplinadas por natureza. Por isso, conseguem manter o foco em suas tarefas o tempo inteiro, sem nunca desviar a atenção de seu objetivo, e trabalham sempre naquele mesmo ritmo acelerado.

Seres humanos, por outro lado, são mais instáveis emocionalmente, além de serem cheios de ambições que as formigas não têm. E, o que é pior, de vez em quando os humanos ainda pensam. Nenhuma empresa confessa que gostaria de ter um bando de funcionários-formiga trabalhando nela. Na prática, entretanto, empresas adotam manuais que especificam detalhadamente o que cada funcionário deve fazer e quais os limites de ação e de decisão de cada um. É o que é chamado de "descrição de funções". Mais ou menos como num formigueiro, com a diferença de que eles não têm um setor de métodos e processos para emitir manuais.

A utilização de robôs por empresas é uma tentativa de criar, por meio da tecnologia, a empresa-formigueiro. Robôs executam uma mesma tarefa, indefinidamente, sempre no mesmo ritmo, nunca reclamam e não faltam ao serviço. E já existem fábricas inteiramente operadas por um programa de computador. A gente vai visitá-las e pensa que é feriado, porque não há nenhum funcionário à vista. Um dia, talvez, existirá a empresa perfeita, aquela que não dependerá mais das pessoas. Porque pessoas são indisciplinadas, teimosas, rebeldes e cometem erros.

Só que foi exatamente por causa dessa incapacidade de repetir a dinâmica perfeita de um formigueiro que os humanos, e não as formigas, construíram grandes empresas. As melhores empresas e os melhores chefes são os que incentivam seus colaboradores a procurar novos caminhos, mesmo que, para isso, seja preciso aceitar falhas, enganos e imperfeições.

Por isso, e pelo menos por enquanto, a empresa perfeita ainda é aquela que não pretende ser perfeita. E o melhor dos chefes é aquele que incentiva cada um de seus subordinados a pensar. Não no planejamento estratégico da empresa para os próximos 30 anos, mas naquilo que faz, para poder propor maneiras de executar o próprio trabalho com mais rapidez e menor custo.

A repetição de sua experiência

Antes de chegar a uma chefia, você deve ter vivido seus momentos de tensão, expectativa e frustração. Você se sentia pronto, mas a oportunidade não surgia. Mas, agora que você se tornou chefe, como você fará para lidar com o caso de um subordinado que passa pela mesma situação que você viveu?

Digamos que, simplesmente, não há como promover esse subordinado eficiente. Talvez porque a empresa seja pequena, ou talvez porque todas as vagas estejam preenchidas e não haja previsão de expansão. Como você vai contornar essa situação?

A primeira coisa a fazer é chamar o funcionário para uma conversa sincera para explicar que o trabalho dele é excelente, que todo mundo gosta dele e que, se ele quiser, ficará na empresa até o dia do juízo final. Mas que, infelizmente, ele terá de permanecer na mesma posição em que está agora.

O resultado dessa conversa pode ser surpreendente, porque há funcionários que preferem um bom ambiente de trabalho a um cargo maior ou a um salário um pouco melhor. Ou que dão mais valor à estabilidade e à segurança do que à corrida maluca da carreira profissional. Num caso assim, e eles são menos raros do que muita gente pensa, uma maneira de incentivar o funcionário é pagando cursos para ele. Ou dando a ele a responsabilidade de treinar e desenvolver os novos colegas.

Pode ser, porém, que na conversa com o funcionário ele manifeste a ambição de ter um cargo maior e um salário melhor. Aí, o melhor a fazer é deixá-lo à vontade para procurar outro emprego. Para qualquer chefe, é sempre mais recomendável ter um funcionário bom, mas com vontade de ficar, do que ter um funcionário excelente, mas com vontade de ir embora. Mas para você, como bom chefe que é, será muito melhor ter alguém que em cinco anos vai agradecer por sua sinceridade, mesmo que essa pessoa esteja em outra empresa, do que ter esse alguém ao seu lado, ainda amuado por você ter sido omisso.

E se você receber uma proposta para mudar de cidade?

Isso acontece com certa frequência. Você está desenvolvendo um bom trabalho como chefe e a empresa acredita que você é a pessoa certa para assumir uma gerência em outra unidade. Digamos, em outro estado.

Você pensa, percebe que a mudança representará um salto em sua carreira e aceita o desafio. O problema é que sua família não se adaptou à nova situação. Toda tarde, ao voltar para casa, você ouve queixas de sua mulher e de seus filhos. A coisa chega ao ponto de você pedir para retornar à sua cidade de origem. Mas lá não há uma vaga para você. Qual é a solução? Mandar a família de volta e permanecer na cidade distante até que uma vaga apareça?

Se isso acontecer com você, não titubeie: perca o emprego, mas conserve a família. Executivos, quando são transferidos, via de regra tendem a minimizar o impacto que suas famílias terão com a mudança. E usam frases do tipo: "Tenho certeza de que vocês vão gostar de lá", sem ter dados suficientes para saber se isso é verdade. Ou, então, tentam convencer a família de que um salário maior compensará qualquer sacrifício.

É verdade que, para muitas famílias, a possibilidade de acumular bens materiais realmente tem influência direta no lado emocional. Também é verdade que há famílias que se adaptam mais facilmente que outras a novas situações. Mas esse não foi o caso de sua família. Você está tendo de discutir agora o que deveria ter discutido antes de aceitar a mudança. O retorno imediato de seus familiares é válido, antes que a situação chegue a um ponto de ebulição. O problema é que eles podem se acostumar a viver sem você e você sem eles. E aí o casamento pode ir para o vinagre.

Há momentos na vida profissional em que é preciso dar um passo para trás. Se você um dia chegar a uma situação assim, lembre-se: empregos são temporários, famílias são para sempre.

Quando você deve se intrometer na vida pessoal de seus subordinados?

Um de seus subordinados está curtindo um romance com uma funcionária do mesmo setor. Nada de mais, a não ser pelo fato de que o cidadão é casado. O desempenho dele continua o mesmo e o da funcionária também.

Mas, como chefe astuto que é, você já notou que essa situação pega mal. Os dois pombinhos trocam olhares apaixonados durante o expediente e ficam fazendo sinaizinhos um para o outro. Conclusão, todo mundo já sabe do caso. Alguns de seus subordinados acham que o problema é dos dois enamorados e a empresa não tem nada com isso. Para outra parte, um pouco maior, você deveria tomar uma atitude drástica, dispensando um dos dois, ou os dois. Para a maioria, entretanto, a situação é tratada mais na base da piada.

Sua primeira providência foi chamar o subordinado e aconselhá-lo a ser mais discreto, mas acontece que o amor é cego. No caso, cego e burro. O que você deve fazer? Esse é um caso pessoal ou profissional? É certo você intervir nessa situação?

Minha sugestão: uma conversa urgente com o diretor de recursos humanos. Se a sua empresa não tem uma posição clara para casos desse tipo, deveria ter. E a responsabilidade pelo procedimento é da área de recursos humanos. Como chefe, você pode ter sua própria visão da situação, mas outro chefe, num caso parecido, pode ter uma opinião diferente da sua. Portanto, não assuma uma responsabilidade que não é apenas sua. Quando a posição da empresa ficar clara, você poderá chamar o subordinado e a funcionária para uma conversa séria. E irá usar um argumento que nada tem a ver com sua opinião pessoal, mas com o código de ética de sua empresa.

Portanto, sempre que surgir uma situação delicada, cujo alcance pode abranger situações semelhantes em outras áreas, não se desgaste. Transfira o problema para uma esfera superior.

Como contradizer o dono?

Você é chefe em uma empresa de dono. E em empresas de dono, como você bem sabe, a lei é ele. Pois bem. Já faz algum tempo que o dono resolveu pagar aos funcionários o mínimo que a lei determina. O argumento do dono é o de que tem muita gente desempregada e, portanto, pode economizar nos salários.

À primeira vista, parece que ele tem mesmo razão, porque você não tem tido problemas para contratar empregados. Mas a questão não é de quantidade, e sim de qualidade. Os novos admitidos não param no emprego, ou faltam muito e conseguem atestados médicos. São funcionários sem muito ânimo, que vivem reclamando de tudo e não hesitam em pedir a conta quando conseguem uma proposta para ganhar um pouquinho mais. Conclusão, a rotatividade de seu setor se tornou monstruosa.

Você não é mais somente um chefe. Tornou-se conselheiro, psicólogo, apartador de brigas, e outras coisas. O dono está errado? Sem dúvida. Muito errado. Ele está contrariando todos os preceitos elementares de gestão de pessoal do século 21. E por que então ele continua agindo assim? Porque ele está contando o dinheiro que entra no bolso dele. O que os empregados acham, ou deixam de achar, não é problema dele. É problema seu. Afinal, você não é o chefe direto deles?

Você se sente perdido. É um profissional com boa educação, sensato e sensível que sempre quis ser chefe, mas não esperava deparar com uma situação dessas. A pergunta que você precisa fazer a si mesmo não é :"Por que o dono age assim?" Porque, qualquer que seja a resposta, ele continuará agindo assim. A pergunta é: "O que você ainda está fazendo aí?"

A estranha posição de "quase-chefe"

Você é chefe, mas não é bem "o" chefe. Você tinha um chefe, mas ele foi dispensado. Como era o braço direito dele, você acumulou ao seu trabalho as obrigações de chefe. Evidentemente, você ficou esperançoso, imaginando que era só uma questão de tempo para ganhar formalmente o título de chefe e para que seu salário ficasse compatível com suas novas responsabilidades.

Depois de um par de meses, ao notar que nada tinha acontecido, e que nem havia sinais de que algo poderia acontecer, você decidiu conversar com o diretor. Ele era o chefe de seu chefe, e desde a saída de seu chefe vinha tratando você como se você fosse o novo chefe. Porém, para sua surpresa, o diretor não digeriu bem seu pedido para transformar a chefia virtual que você vem exercendo em uma chefia de fato, com registro em carteira.

O diretor então lhe perguntou se você não estava satisfeito na empresa. Você respondeu que sim, que estava muito satisfeito e motivado, mas que ganhava pouco pelo que fazia. E o diretor rebateu dizendo que o chefe do Alberto é que "ganhava muito pelo que não fazia". Com o tempo, a função do chefe havia se tornado desnecessária. Portanto, o diretor explicou, você não tinha sido promovido a chefe porque o cargo de chefe havia sido extinto.

Totalmente confuso, agora você se pergunta qual é a lógica de uma situação em que você trabalha mais, tem *status* de chefe sem ter o título e continua ganhando a mesma coisa.

A lógica, infelizmente, é clara. Você não foi promovido. O cargo de chefe não existe mais. O fato de ninguém lhe ter dito isso é que foi um erro. Porque criou em você uma expectativa otimista que se transformou em uma enorme frustração.

Você foi vítima de uma estatística. De cada dez frustrações que nós sofremos em empresas, duas são causadas por coisas que não queríamos ou não esperávamos que acontecessem. As outras oito são causadas por coisas que nós gostaríamos que acontecessem, mas não acontecem. E mais da metade desses 80% de frustrações desnecessárias poderia ser resolvida: bastaria uma comunicação mais eficiente por parte da empresa.

O que você pode fazer? Duas coisas. Ou aceitar a situação, ou procurar outro emprego. Nesse caso, você poderia dizer que exercia a função de chefe, mesmo sem ser formalmente chefe? Sem dúvida, você pode. E seria ótimo se você pudesse apresentar ao entrevistador provas cabais de que sua afirmação é verdadeira. Por exemplo, documentos que você assinou e que só um chefe assinaria.

O importante é que você está passando por um período de treinamento para chefe. Já sabe o que é ser chefe. Já aprendeu a agir como chefe. Só lhe falta agora o título, que você conseguirá em outra empresa.

Sua primeira medida

Até ontem, você era mais um da turma. A partir de hoje, será o novo chefe da turma. E agora? No primeiro dia de seu novo cargo, você deve continuar agindo como sempre agiu? Ou deve reunir o pessoal para uma conversa? E o que você deve dizer? Vai dar para você continuar sendo o que sempre foi, um bom amigo?

Não se iluda. Sua vida profissional vai mudar radicalmente. A empresa o promoveu para você conseguir fazer com que seus colegas trabalhem mais e se convençam de que estão ganhando o que merecem ganhar. Se a empresa não visse em você qualidades para assumir essa responsabilidade, você não teria sido promovido.

Essa primeira reunião com a equipe é indispensável para você passar claramente uma mensagem: a de que você continua a ser o amigo que sempre foi, mas de que agora seu cargo mudou. E, por isso, você terá de exigir, terá de cobrar, terá de advertir e, eventualmente, terá até de dispensar alguém, por mais que isso doa em você.

Um de seus subordinados certamente irá testar se tudo isso que você disse é mesmo verdade. Provavelmente, já no primeiro ou no segundo dia. Esse é o momento em que você mostrará se mereceu a promoção. Seja severo, sem perder a classe. Mostre autoridade, sem deixar de ser compreensivo. Esse será o verdadeiro início da sua grande história como chefe. A reunião foi só o prefácio.

Você continua sendo chefe depois do expediente?

Você é chefe em uma empresa que dá lucro e não tem problemas sérios. A não ser um. Seu diretor promove todas as semanas um *happy hour* e convida os chefes que se subordinam a ele, você incluído, para bebericar e conversar.

A coisa vai até altas horas e você tem polidamente encontrado desculpas para não participar desses encontros fora do expediente. Você tem família e gosta de chegar em casa logo, para conviver com ela. Sua decisão de escapar dos encontros nunca foi criticada por seu diretor, mas lhe acarreta um problema. Você já percebeu que o processo de avaliação de desempenho está diretamente ligado a esses encontros fora do horário de trabalho. Quem bebe mais com o diretor e ri mais alto das piadas sem graça que ele conta, sempre acaba recebendo as melhores avaliações. Por isso, você teme que sua carreira fique estagnada.

Em primeiro lugar, é claro que seu diretor está errado. Em segundo lugar, nas empresas existe algo chamado "a regra do jogo". Imagine que um jogador de futebol bote a mão na bola dentro da área. O juiz, como manda a regra, marca o pênalti, e o jogador diz a ele: "Seu juiz, não é justo que só o goleiro possa colocar a mão na bola. Eu proponho uma medida mais equalitária. Todos deveriam poder colocar a mão na bola". E o juiz dirá: "O senhor sabia das regras quando entrou em campo. Foi pênalti e o senhor está expulso".

O diretor festeiro, infelizmente, definiu as regras do jogo. Ele é o dono da bola e também o juiz. As regras não são éticas, não beneficiam os mais competentes e são uma afronta a qualquer política de recursos humanos. Mas, enquanto essas regras estiverem valendo, só há duas opções: ou atuar de acordo com elas, ou jogar em outro campo. Há empresas que precisam de chefes com seu senso de moral e de ética. Não fique desperdiçando seu talento no time errado.

Você merece o que ganha?

Uma empresa lhe fez uma proposta e você aceitou. Foi chefiar um setor. Você tem um bom histórico, uma boa formação e sabe que não terá problemas para desempenhar bem a sua nova função. Só tem um probleminha. Também subordinados a seu gerente, há outros chefes com o mesmo nível que você. E eles ganham menos que você.

Obviamente, isso não deveria ser problema seu. Quem decidiu pagar o salário maior foi a empresa. Mas o problema acaba respingando em você, principalmente porque seus colegas chefes descobriram que você ganha mais do que eles. E você começou a ser tratado como alguém que não merece o que ganha. Como alguém que veio roubar o lugar de quem já estava na fila.

O pior é que esses chefes nem estão prestando atenção à qualidade de seu trabalho ou ao seu traquejo como chefe. Só pelo fato de ganhar mais do que eles, você já virou inimigo. O que você deve fazer a esse respeito, se é que pode fazer alguma coisa?

Começando pelo princípio, como você não foi contratado por favorecimento, a empresa deve ter tido bons motivos para colocar você num nível salarial superior ao dos demais. Por isso, neste momento, a pior coisa que você poderia fazer seria tentar dar explicações a seus colegas. Isso só complicaria a situação.

Porém, se eu lhe dissesse que você não deve se incomodar com a oposição, eu estaria lhe dando um conselho furado. Porque alguns de seus colegas farão o possível para lhe passar uma bela rasteira. Você, certamente, será criticado. Seus eventuais erros serão amplificados e seus acertos serão considerados como obrigação. Afinal, você ganha para isso.

Sua melhor saída é ser profissional. Peça a seu chefe para lhe dar objetivos numéricos bem claros, de curto e de médio prazo. O que vai garantir seu emprego é estar sempre acima de suas metas. Evidentemente, se você puder adicionar um pouco de simpatia a esses resultados, a oposição tenderá a diminuir com o tempo. Mas não tenha dúvidas de que você, por enquanto, é um alvo. E continuará sendo, até provar que vale o que ganha. Será um belo teste para sua competência, para sua paciência e para seu jogo de cintura.

Depois que virei chefe, senti a pressão

Todo mundo sempre sente um pouco de dificuldade para trabalhar sob pressão. É normal, e deve ter sido também o seu caso. Porém, depois que você foi promovido a chefe, parece que aquela pressão normal começou a ficar cada vez mais forte. É um dos efeitos de ser chefe. A responsabilidade aumenta e a pressão cresce.

É só aparecer algum problema novo ou algum trabalho mais urgente que você perde a calma. Fica nervoso e impaciente, começa a falar mais alto e às vezes acha que será impossível contornar a situação.

Se isso ocorre com você nos momentos mais agudos, você está a um passo do estresse. Isso parece doença de rico, mas não é. O estresse pode ser causado por qualquer situação que qualquer pessoa, pobre ou rica, em posição de diretoria ou de auxiliar administrativo, acredita que não vai conseguir enfrentar, e muito menos resolver. E você passou a acreditar exatamente nisso, que uma situação complicada que aparece está além de sua capacidade.

Calma. Isso tem cura. Você pode fazer duas coisas. A primeira é consultar um especialista. Um psicólogo que possa ajudá-lo a descobrir de onde vem essa sua reação anormal e a se livrar dela. É claro que isso tem um preço. Se você não puder pagá-lo, precisará, urgentemente, encontrar coisas relaxantes para fazer. Ler, escrever, caminhar, auxiliar em trabalhos comunitários, fazer meditação, praticar ioga ou esportes ou encontrar algum *hobby*.

O que acontece com você é o resultado de sua preocupação excessiva com sua posição de chefia. Você se sente como se o mundo inteiro estivesse observando o que você faz e pronto para condená-lo se você errar. Essa é uma reação natural de quem quer acertar, mas, quando você concentra todas as suas energias no trabalho e esquece o resto, o resultado é essa tensão estressante que está enfrentando. Daí em diante, ocorre o inevitável. Em vez de você controlar a situação, você permite que a situação controle você.

Mas isso vai passar e você voltará ao seu normal (isto é, meio tenso). Em maior ou menor grau, todo novo chefe passa por isso e a grande maioria sai fortalecida da experiência. Esse será também o seu caso, embora no momento não pareça.

Como transformar as fatídicas reuniões em um tempo bem aproveitado

Você, como chefe democrático que é, promove uma reunião semanal com seus subordinados na qual dá a eles a oportunidade de se manifestar, defender seus pontos de vista e discordar.

Deveria ser uma reunião em que um tenta ajudar o outro, mas acaba não sendo por causa do comportamento de alguns participantes. Basta que alguém levante uma questão, para que outro discorde. Aí, um terceiro entra na discussão e cada um fica querendo falar mais do que o outro. A cada novo item colocado em discussão, essa situação se repete. No fim, a reunião dura o dia inteiro e não se resolve nada.

Você até já pensou em acabar com essa reunião, mas ainda não fez isso porque acredita que seus subordinados têm boas sugestões a oferecer, desde que a reunião seja mais bem organizada e tenha um mínimo de disciplina. Isso mesmo, você acertou na mosca. Disciplina e organização, é isso que faz uma boa reunião. Aqui vão seis regras que você pode adotar para fazer a reunião ficar mais produtiva e menos combativa. Como você é o chefe, não coloque as regras em discussão. Imponha-as ao grupo e o resultado mostrará que você sabe ser chefe.

1. Nunca interromper quem está falando. A maioria dos conflitos começa quando um corta o outro e o outro reage.
2. Manter o tom normal de voz. Quase sempre, quem está perdendo a discussão resolve falar mais alto, o que leva o outro a falar mais alto ainda e a conversa se transforma em gritaria.
3. Usar números concretos, em vez de emitir opiniões pessoais. Quando não existem fatos comprovados, todo mundo tem razão.
4. Não fazer acusações. No calor da discussão, é comum um atacar o outro, e o outro se defender do ataque.
5. A cada reunião, nomear um dos subordinados para ser o coordenador, em sistema de rodízio, e dar-lhe poderes para conceder a palavra e para encerrar um assunto. Só isso já fará com que cada um se comporte melhor, para não ser desrespeitado quando for coordenar.
6. Preparar uma agenda prévia dos temas da reunião. Todos podem incluir na agenda o que desejam discutir. Mas, se um assunto não estiver na agenda, ele não poderá ser levantado. E esse talvez seja o principal problema de vocês. Como não existe uma ordem de temas, a consequência natural é a desordem de opiniões.

Elimine de sua rotina os erros mais comuns que um chefe comete

São dez. Veja quais erros você está cometendo e procure evitá-los no futuro.

1. Má comunicação. É um chefe não dizer exatamente o que quer e depois reclamar que o subordinado não fez o que ele queria, nem como ele queria.
2. Não elogiar. Se um chefe não sabe reconhecer um trabalho bem-feito, o subordinado não terá estímulo para melhorar seu desempenho.
3. Criar um ambiente de desconfiança. Isso acontece quando o chefe critica um subordinado para outro subordinado, em vez de falar diretamente.
4. Não defender os subordinados. Chefes devem ser um escudo para seu pessoal e não um cúmplice das críticas alheias.
5. Prometer o que não pode cumprir. Muitas vezes, para incentivar os subordinados, os chefes fazem promessas que dependerão de aprovação superior.
6. Não cumprir o que prometeu. Quando o chefe esquece o que falou, o subordinado deixa de acreditar em novas promessas.

7. Aceitar bajulação. Chefes que apreciam puxa-sacos perdem o respeito do resto dos subordinados.
8. Falta de educação. Chefes que tratam os subordinados na base do grito ou da ofensa não estão mostrando poder. Estão demonstrando insegurança.
9. Fugir da responsabilidade. É empurrar um problema com a barriga, em vez de dar uma resposta clara a um subordinado.
10. (e pior de todos) Soberba. Achar que, por ser chefe, virou Deus. O chefe é apenas um igual que tem um título temporário e provisório.

Você ainda não tem certeza se tem o que um chefe precisa ter?

Há pessoas que são alçadas a uma chefia e aí descobrem que talvez a promoção tenha sido prematura. Que ainda faltaria uma coisinha ou outra para de fato exercer a chefia como se deve. Essa incerteza afeta quem ainda é jovem e assumiu seu primeiro cargo de chefe, principalmente quando vários subordinados têm mais idade e mais tempo de casa.

Comece pensando que uma chance dessas é rara. Se você não aproveitá-la, vai se lamentar muito no futuro, porque talvez não apareça outra. Além disso, você é jovem e pode correr riscos que não seriam recomendáveis se você já tivesse passado dos 40 anos. Então, respire fundo e vamos lá:

O que você precisa fazer, desde o primeiro dia na nova função, é assumir seu papel de chefe. E a coisa é mais simples do que parece. São apenas dois os erros básicos cometidos por um novo chefe que sabe muito sobre o trabalho mas nunca chefiou uma equipe.

Primeiro erro: tentar superar a insegurança criticando demais o trabalho dos outros. Um chefe que só critica gera um ambiente ruim de trabalho. O bom chefe elogia o que está certo, aponta o que está errado e ensina pacientemente como ele quer que o trabalho seja feito.

Segundo erro: render-se à insegurança e fazer o trabalho dos subordinados. Isso é bem comum. O chefe acha que vai perder tempo explicando, ou criar algum atrito se decidir mandar, e aí resolve fazer o trabalho por conta própria. Isso gera a acomodação da equipe.

Se você superar essas duas fases, o resto se resolverá rapidamente. Além disso, nunca deixe de considerar que a empresa viu em você condições de assumir uma chefia e é muito difícil que essa avaliação esteja totalmente errada. Portanto, mesmo que sinta alguma dificuldade inicial para acreditar em você, acredite em quem o promoveu.

Você é o chefe amigo ou o amigo chefe?

Sim, são duas coisas diferentes. Com alguns de seus subordinados, você sempre teve uma relação bem próxima, fruto de anos de convivência, antes de você se tornar chefe deles. Vocês saíam para jantar, conversavam banalidades e faziam piadas sobre os chefes.

Ao se tornar chefe, o que fazer para manter sua autoridade sem perder essas amizades? Simples. Você precisa ter uma conversa pessoal com seus colegas. Um a um. Nessa conversa, nada de banalidades, senão o respeito vai para o ralo. Entre direto no assunto e explique a diferença entre um chefe amigo e um amigo chefe: ser chefe amigo é bom, ser amigo chefe não é. O chefe que é amigo respeita os subordinados. O amigo que é chefe não é respeitado por eles.

Deixe claro que quer continuar a ser amigo fora da empresa, mas que isso só acontecerá se os amigos o virem, dentro da empresa, como chefe. Não porque você deixou de ser o que era. Mas porque a empresa confiou a você um novo cargo. E, se você for tratado como um amigo chefe, perderá o cargo e seus colegas perderão um amigo. Peça a compreensão do subordinado amigo. Se ele não entender a situação, não merece ser subordinado. E, se ele deixar de ser seu amigo, é porque não merecia a sua amizade. Amigos de verdade apoiam amigos, no fracasso e no sucesso.

Você se sente como um ator representando o papel de chefe?

Você foi promovido a chefe na hora certa, tem um salário razoável e boas chances de continuar crescendo dentro da empresa. Nessa transição, você ouviu alguns conselhos sobre o que sua empresa espera de um chefe. Como ele deve se comportar, como deve se posicionar e até como deve se trajar no trabalho. Atento a esses detalhes que podem beneficiar ou prejudicar uma carreira, você fez tudo o que precisava para continuar merecendo elogios.

Só uma coisa o incomoda: você sente que passa o dia representando um papel, em vez de ser você mesmo. Comporta-se segundo os padrões da empresa e até já começou a falar do jeito que os diretores falam. Embora tenha plena noção de que foi exatamente essa capacidade de assimilação que fez sua carreira decolar, você sabe que, no fundo, você não é assim. Você gosta de dar risada, mas é obrigado a parecer sério. Gosta de se vestir de modo despojado, mas tem de se enquadrar no figurino. Gosta de se divertir com os amigos, mas fica trabalhando até tarde. E o pior é que você não vê saída. Se quiser continuar progredindo, terá de continuar parecendo o que não é.

É isso mesmo, você avaliou direitinho a situação. No mercado de trabalho, os profissionais mais bem-sucedidos estão sempre atentos ao efeito que causarão nos outros. Por isso, aspirações pessoais, do tipo "o que eu realmente quero", ou "o que de fato me faz feliz", ficam em segundo plano. Mas há uma coisa que você pode fazer para começar a se livrar desse complexo de não ser você mesmo: vá assistir a uma peça de teatro e preste bastante atenção, não ao enredo, mas aos atores.

Os atores não são o que você está vendo no palco. Eles estão apenas representando. E, quanto melhor representarem, mais aplausos receberão. Esse é o trabalho deles, parecer o que na verdade eles não são. Mas, fora do palco, eles têm uma vida. Nas empresas, é a mesma coisa. Os melhores atores corporativos vão mais longe na carreira. Portanto, você está indo muito bem. Está sendo apreciado e recompensado. Mas você precisa encontrar o equilíbrio, procurando, fora do trabalho, atividades que lhe permitam ser quem realmente é. Em síntese: em vez de fazer da empresa a sua vida, faça uma vida fora da empresa.

Como reagir diante do erro de um subordinado?

Você, um chefe compreensivo, tem um subordinado eficiente que nunca cometeu um erro. De repente, porém, ele comete um. Não um errinho, mas um tremendo erro que causa um grande prejuízo financeiro à empresa. Um erro que foi fruto de desatenção e que poderia ter sido evitado.

Como o subordinado espera que você reaja? Perdoando-o, sem dúvida. Defendendo-o perante os seus superiores. Mas não é isso que a empresa espera de um chefe. Algumas até esperam que ele use o mesmo método que o bom Deus usou com Adão, que nunca havia cometido um erro, mas foi expulso do Paraíso ao cometer o primeiro. Entre o que o subordinado espera e o que uma empresa exige, está o bom-senso profissional do chefe. E, nesse caso, o bom-senso indica que ele deve punir o funcionário; caso contrário, irá se indispor com seu próprio superior.

A punição, na verdade, não ocorre pelo erro em si. Ela ocorre porque o funcionário que errou tomou uma decisão que não podia ter tomado, e não perguntou quando podia ter perguntado. A punição não serve apenas para castigar o subordinado, mas principalmente para servir de alerta a todos os outros. O alerta de que eles têm um chefe que elogia e pune a quem merece uma coisa ou outra.

Vale a pena deixar de ser chefe para ganhar mais?

Isso acontece. As faixas salariais no mercado de trabalho são uma indicação do que as empresas precisam pagar para conseguir reter seus melhores funcionários. Mas isso não impede que um chefe em uma empresa ganhe menos do que um auxiliar em outra.

Vamos dizer que isso aconteceu com você. Ao receber sua primeira promoção, você foi brindado com um aumento mixuruca de 10%. Você tem o título de chefe, tem cartões de visita indicando que é chefe, mas recebe uma proposta para ser auxiliar pleno em outra empresa para ganhar 15% a mais do que ganha. E você passará uma noite sem dormir, perguntando a si mesmo: o que vale mais no mercado de trabalho, o título ou o salário?

Como muita coisa nesta vida, depende. Se o convite para mudar veio de uma empresa bem maior que a sua atual, um rebaixamento de cargo é até normal. Eu já vi diretores de empresas de médio porte aceitarem cargos de gerentes em multinacionais. Porque, como gerentes, eles ganhariam mais do que recebiam como diretores, teriam melhores benefícios e maiores possibilidades de carreira.

Então, se você for para uma empresa muito maior, não se preocupe com o nome do cargo. Mas, se o convite que você recebeu veio de uma empresa de tamanho semelhante à sua empresa atual, aí você deve mudar mais rápido ainda. Isso significa que sua empresa atual está pagando salários abaixo da média do mercado e está tentando compensar essa discrepância com um título e uma caixinha de cartões de visita.

Então, não titubeie. Peça a conta. Normalmente, o que acontece em situações assim é que a empresa atual toma um susto e faz uma contraproposta compensadora para você não ir embora. Se isso acontecer, e se a contraproposta cobrir com sobras o salário que a outra empresa está oferecendo, fique. Aí, sim, o título pesa mais.

Você está sendo boicotado?

Não sei se você já viu uma pesquisa do IBGE indicando que dois de cada três chefes, no atual mercado de trabalho brasileiro, não possuem um diploma de curso superior. Pois é. Dois terços. Não é incrível?

Já você fez o que tinha de fazer para garantir seu futuro. Estudou. Formou-se numa faculdade, concluiu vários outros cursos de especialização e seu currículo chamou a atenção de uma boa empresa. Após ser entrevistado, você foi contratado para chefiar um setor de uma fábrica.

Até aí, tudo ótimo, não fossem os outros chefes da fábrica, que ocupam nível hierárquico idêntico ao seu. Eles têm pouco estudo, mas são muito bons no que fazem, porque começaram na linha de produção e aprenderam as coisas na prática. Você não tem nada contra eles, muito pelo contrário, mas eles parecem ter tudo contra você. Quando você apresenta uma ideia, eles a detonam. Quando propõe alguma mudança, eles reagem como se a proposta fosse um sacrilégio. Como resultado, você foi ficando isolado. Eles não conversam com você, apesar de você estar sempre tentando se aproximar.

Você decidiu então se aconselhar com o gerente da fábrica, que é o chefe de todos. E ele lhe diz para não se preocupar, porque você é o futuro e os outros chefes representam o passado. Só que está duro pra você aguentar o presente. O que mais você poderia fazer?

Não é difícil adivinhar por que você foi contratado. O gerente, por iniciativa própria ou por sugestão de alguém, decidiu melhorar o nível da chefia. E, para provar que isso é possível, ele contratou você, um jovem com ótima bagagem acadêmica, relativamente pouca experiência prática e muitas ideias novas. Agora, ponha-se no lugar dos outros chefes: eles sabem que, se você der certo, há uma chance de que alguns deles, ou todos eles, acabem sobrando. Por isso, é natural que eles não tenham tanto interesse assim em seu sucesso.

Logo, o que lhe resta fazer é provar que o gerente está certo, sendo o chefe mais eficiente da fábrica. Mas sempre tratando os colegas com o respeito que eles merecem por tudo o que já fizeram pela empresa. E repita todos os dias a você mesmo que a atitude dos outros chefes nada tem de pessoal. Eles não são contra você, como ser humano. São contra o perigo que você representa para eles, como profissional.

E se a sua empresa for vendida?

Fusões, incorporações e vendas de empresas estão ficando cada vez mais comuns. Empresas se juntam para ficar mais enxutas, para ganhar outros mercados, para criar sinergias, e por aí vai. Muito bem. Você é chefe em uma empresa, e tudo vai bem até o dia em que começa a circular um boato de que ela seria vendida a outra, muito maior e mais forte.

Seus subordinados vieram lhe perguntar se o boato era verdadeiro. Como bom chefe, você procurou informações com seus superiores, mas se decepcionou. Eles não disseram nem que sim nem que não, o que levou você a desconfiar que o boato deve ser verdadeiro. E agora? Você está ansioso, mas, ao mesmo tempo, precisa controlar a ansiedade de seus subordinados. Alguns sairão procurando emprego, enquanto outros ficarão espalhando pelos corredores que todos serão despedidos, piorando o clima interno e causando inevitáveis distrações no trabalho.

Minha sugestão: incentive os subordinados que vierem pedir sua opinião a realmente sondar o mercado. Você está numa situação em que não pode dizer nada sobre o futuro deles. Se fizer qualquer tipo de promessa e as pessoas decidirem ficar porque confiam em sua palavra, você estará assumindo um compromisso que não poderá cumprir.

Você passará algum tempo em uma zona cinzenta entre seu profissionalismo, já que você quer continuar na empresa, e sua consciência, que lhe diz para fazer o melhor que puder pelo futuro de seus subordinados. Evidentemente, você deve fazer essas recomendações de modo particular, em conversas a dois, e com muita calma. Se você reunir todo mundo e sugerir uma debandada geral, irá transformar a ansiedade de alguns no pânico de todos.

A única coisa que você pode de fato fazer é dizer sempre a verdade. Repasse de imediato o que souber para evitar que os boatos assumam proporções incontroláveis. Esteja certo de que seus subordinados, tanto os que ficarem quanto os que saírem, poderão no futuro não se lembrar de suas palavras exatas, mas nenhum deles esquecerá que você foi sincero no momento em que eles mais precisavam de sinceridade.

O que era para ser e o que está sendo

Você foi contratado por uma empresa de grande porte para trabalhar como chefe de um setor problemático. Nas entrevistas, ninguém mentiu a você. Todos os profissionais que o entrevistaram disseram claramente que a área era uma sacola de pepinos. Clientes mal atendidos, reclamações procedentes, informações desencontradas, e por aí vai.

Você sabia o que responder num caso assim e disse que nunca teve medo de grandes desafios. A frase impressionou muito bem e você foi rapidamente contratado.

Acontece que, mal você esquentou sua cadeira, o seu superior imediato, que foi um dos que o entrevistaram, já começou a criticá-lo, inclusive em público, como se você fosse responsável pelos problemas que existiam antes de sua chegada. "Que situação mais estranha", você pensou. Os profissionais que deveriam ter evitado ou resolvido os problemas não evitaram nem resolveram. E, agora, ainda ficam fazendo de conta que você, e não eles, foi o causador da situação. O que você faz, ri ou chora?

Nem uma coisa nem outra. Apenas reflita. O que seu superior está fazendo tem o nome de transferência de pressão. Ao jogar em suas costas toda a ineficiência anterior da área, ele experimenta uma sensação momentânea de alívio. Isso porque ele deve ter sido muito cobrado nos últimos tempos, e provavelmente estava à beira de um ataque de nervos. E aí quem apareceu na fita para salvar a pátria dele? Você.

Olhando pelo lado positivo, seu superior está lhe dizendo, embora de maneira equivocada, que ele acreditou piamente no que você mesmo disse na entrevista. Você nunca teve medo de grandes desafios. Cabe portanto a você, independentemente do que estiver ouvindo, consertar a situação. E, quando você consertá-la, não se esqueça de agradecer publicamente a seu superior pelo apoio que ele lhe deu nos momentos difíceis. Isso é verdade? Mais ou menos. Talvez menos do que mais. Porém, ele vai se estufar de orgulho e talvez até você possa insinuar que tanto você quanto ele merecem um reajuste pelo ótimo trabalho conjunto realizado. Se não grudar, mal não vai fazer. Se grudar, você ainda sai no lucro.

Por mais certo que você pareça estar, você pode estar errado

Esta é uma história real.

Um profissional foi contratado para montar a área de recursos humanos de uma empresa. Mas ainda existem empresas que não têm essa área? Sim, e bem mais do que você imagina. Pois bem. O profissional botou mãos à obra e começou implantando um programa de benefícios, coisa que a empresa jamais tivera.

Acontece que os funcionários enxergaram a situação pelo lado inverso. Eles esperavam que tudo o que não havia sido feito em 20 anos fosse feito em 20 dias. Porém, até por uma questão de verba, a implantação teve de ser feita gradualmente. Conclusão: seis meses e, em vez de reconhecimento, o profissional estava recebendo críticas dos funcionários. E o pior era que os diretores da empresa começaram a dizer que funcionário é assim mesmo, ingrato, e que talvez fosse melhor não conceder mais benefício nenhum.

Aparentemente, o profissional estava bem-intencionado e era competente. Então, o que faltou? Duas coisas: planejamento e comunicação. No caso do planejamento, aparentemente o profissional não perguntou o que os funcionários queriam. Apenas usou a própria experiência para deduzir o que achava que eles precisavam. No caso da comunicação, a chegada do profissional gerou uma expectativa que não foi devidamente explicada. Faltou dizer aos funcionários, de maneira bem clara, que a implantação seria gradual, em função da verba disponível.

O que o profissional poderia ter feito? Uma pesquisa para descobrir quais eram as prioridades mais imediatas dos funcionários. Em seguida, ele calcularia o valor de cada benefício, revelaria a verba disponível e convidaria os funcionários a decidir a ordem da implantação, por meio de uma votação democrática. Se o benefício mais caro fosse escolhido para ser implantado antes e consumisse toda a verba do ano, já ficaria claro que os demais benefícios ficariam para o ano seguinte. A vantagem da votação seria a de transformar os funcionários em cúmplices, e não em críticos.

Finalmente, todo chefe precisa entender (e nem todos entendem) que os funcionários não são ingratos. Como qualquer ser humano normal, eles sempre tendem a dar mais valor ao que ainda não têm do que ao que já têm.

Comece bem, mas não desacelere

Já falamos sobre os erros que um novo chefe não deve cometer. E no caso de um chefe que já superou essa fase inicial? Se ele completar um ano no cargo, pode considerar que não corre mais riscos?

Infelizmente, não. Chefes precisam provar, todos os dias, que merecem continuar na função. E, para conseguir, não podem se esquecer daquilo que fizeram bem-feito e devem tentar fazer cada vez melhor. Aqui vai uma lista que serve como lembrete para que nenhum chefe corra o risco de escorregar por deixar de prestar atenção aos fatores que mantêm um chefe no cargo.

1. Não superar os objetivos de curto prazo. Antes de tudo, a empresa espera resultados. Se o rendimento do setor sempre foi bom, mas começar a cair, o chefe irá rapidamente para a marca do pênalti.
2. Não dar crédito a quem merece. Subordinados apreciam e esperam reconhecimento, e perdem a confiança no chefe que até ontem elogiava, mas de repente decidiu ficar com todos os méritos.
3. Evitar os pegajosos. Sempre aparece um subordinado que quer grudar no chefe. Já na primeira investida, o pegajoso deve ser avisado de que o tratamento será igual para todos.

4. Perder a autoridade. Quando a calmaria toma conta da rotina diária, surgem subordinados que irão testar o chefe, atrasando o trabalho ou discutindo suas determinações. Com jeito, mas com firmeza, essas pessoas devem ser avisadas de que o chefe só será camarada com quem continuar respeitando a hierarquia.
5. Descambar para a onipotência e a arrogância. A maioria dos subordinados pode contribuir com boas ideias e sugestões. Se o chefe começar a achar que detém o monopólio das boas ideias, o ambiente se deteriorará.
6. Acreditar que se tornou insubstituível. Um cargo de chefia não é obra da divina providência. É apenas uma delegação provisória e temporária concedida pela empresa. Os chefes que se esquecem disso são os que caem mais rápido.
7. Não dar o bom exemplo. Mais do que por tudo o que ele fala, o chefe será continuamente avaliado por tudo aquilo que ele faz.

Quando fazer uma pesquisa de satisfação?

Sua empresa está pensando em fazer uma pesquisa para saber se os funcionários estão satisfeitos e se existem coisas que podem ser melhoradas. Quando essa ideia da chamada "pesquisa de clima" começa a ser discutida, é comum que os chefes sejam convidados a opinar. Você é chefe. Tem subordinados. Acredita que sabe o que eles pensam. Que resposta você daria se um diretor lhe perguntasse se você aprova a ideia de fazer uma pesquisa formal?

Normalmente, chefes costumam ter opiniões firmes mas não completamente fundamentadas. Opinam por sentimento, por observação, ou por experiência. Se você for contra a pesquisa, talvez se indisponha com algum figurão que a sugeriu. E isso seria arrumar encrenca de graça. Por outro lado, se der sua aprovação, você se tornará parcialmente responsável pelas consequências da pesquisa.

Mas há também o meio-termo. Sem dúvida, é importante saber se o empregado de fato vê a empresa da maneira como ela pensa que está sendo vista. Mas a primeira regra de uma pesquisa é a seguinte: "Não faça uma pesquisa se você não sabe o que irá fazer com ela". Existem dois grandes riscos envolvidos.

1 As respostas serem muito piores do que a empresa imaginava. E a empresa não estava preparada para

fazer grandes investimentos imediatos. Na maioria das vezes, a diretoria decide que a pesquisa será engavetada, e não se fala mais nisso. Quer dizer, a empresa não fala mais nisso, mas os empregados falarão. Eles é que foram incentivados a responder e agora esperam uma retribuição. Em casos assim, o ambiente piora após a pesquisa.

2 A pesquisa é espertamente manipulada. Certa vez, eu vi uma pesquisa com a pergunta: "Como você define nosso ambiente de trabalho?" E as opções eram: (a) ótimo; (b) bom; (c) poderia melhorar ainda mais. Como o ambiente não era lá essas coisas, a maioria optou pela alternativa (c). E aí a empresa fez uma campanha de motivação, com cartazes dizendo: "Nossos colaboradores acham que nosso ambiente poderá melhorar ainda mais. Faça sua parte!" Resultado: os empregados se sentiram insultados.

Em resumo, você não precisa responder sim ou não quando lhe for perguntado se, como chefe, aprova a ideia da pesquisa. Responda, usando o bom-senso, que uma pesquisa de satisfação é um bom instrumento para entender e melhorar o ambiente de trabalho. Mas a empresa precisa estar preparada para receber as respostas e disposta a tomar providências práticas para corrigir o que for necessário. Caso contrário, a pesquisa só irá servir para mostrar que não deveria ter sido feita.

Quando indicar um amigo para uma vaga?

É muito importante ter um círculo de relacionamentos profissionais. Na hora apropriada, essas pessoas poderão fazer uma indicação ou dar uma boa referência. A isso se dá o nome de *networking*. E quem ocupa um cargo de chefia é sempre procurado por quem está precisando. Sendo chefe, você certamente costuma receber indicações de um amigo ou de um parente para uma vaga na empresa. Normalmente, um que está desempregado.

Dizer "não posso" é uma má decisão. Porque hoje alguém está precisando de você mas amanhã você é que poderá precisar de alguém. Se você pode fazer uma indicação, deve fazê-la. Tomando, naturalmente, o devido cuidado para não se queimar.

Empresas não contratam funcionários porque eles têm bons amigos, mas porque eles serão bons profissionais. E quando a empresa confia no julgamento de um chefe que fez uma indicação parte da responsabilidade é transferida para ele. Por isso, você precisa estar seguro quanto às indicações que fará. Todos nós temos amigos que queremos ajudar. Mas, no fundo, nós sabemos que alguns deles não são modelos bem-acabados de eficiência. Em alguns casos, temos a certeza de que eles não estão nem aí com o trabalho, porque eles mesmos já confessaram isso em rodas de amigos.

E aí vem aquela história do bicho. Se você não indicar o amigo, poderá perder a amizade dele. E, se indicar, poderá perder a confiança da empresa. A única maneira de resolver a situação é dividindo a responsabilidade por três. Indique o amigo para uma entrevista, mas avise quem for entrevistá-lo para ser bem meticuloso na avaliação. Quanto ao amigo, diga que você fez sua parte ao indicá-lo, mas que a empresa tem um processo de seleção bastante rigoroso e por isso ele precisa se preparar muito bem para a entrevista.

Resumindo: como regra geral, não misture as coisas. Não indique um amigo porque não há alternativa melhor para você. Indique porque será a melhor alternativa para a empresa.

Não dê importância exagerada a um título

Você é chefe. Todo mundo em sua empresa sabe disso. Mas, fora dela, você se sente na obrigação de oferecer uma explicação a quem lhe pergunta o que você faz porque o título de seu cargo é dúbio. Digamos, por exemplo, que você seja um Gestor. Com g maiúsculo.

Onde, exatamente, um gestor se encaixaria em um organograma clássico? Logo abaixo do presidente? Entre o diretor e o gerente? Acima do supervisor? Eu conheço uma empresa que instituiu o cargo de gestor financeiro. Quando ele me entregou o cartão, imaginei que ele tivesse nível gerencial. Não tinha. Abaixo dele no organograma, só existiam os auxiliares. Ela era, no caso, um auxiliar melhorado.

Por outro lado, conheço uma empresa em que o cargo de coordenador está situado entre o diretor e o gerente, e conheço outra em que coordenador é o cargo de chefia mais baixo na escala hierárquica. Por que essa aparente confusão ocorre?

Ela ocorre porque não existem regras formais ou legais que obriguem uma empresa a conceder determinado título a um ocupante de determinada função. Cada empresa pode usar os títulos que quiser, na ordem que quiser. Existem empresas que têm vários vice-presidentes, mas não têm um presidente. O mandachuva é chamado de gerente-geral.

Outra coisa que vem acontecendo é que muitas empresas estão concedendo títulos em vez de salários. Conheço uma em que *trainees*, quando são efetivados, ganham o título de supervisor, embora não supervisionem ninguém e sejam supervisionados por meio mundo.

Resumindo essa salada, título não é uma questão estrutural, mas sim psicológica. Se você, como chefe, qualquer que seja o título que lhe tenham dado, possui a responsabilidade e o salário condizentes com a função que executa, isso é mais que suficiente. Se o seu título não impressiona, pense que existe muita gente no mercado de trabalho com títulos impressionantes, mas sem nenhuma contrapartida salarial ou de responsabilidade. O que interessa, mesmo, é o quanto você manda e o quanto bota no bolso no fim do mês. O resto é só palavreado.

Você deve preparar seu sucessor?

Essa pergunta é mais importante do que parece. Há empresas que só promovem os chefes que se preocuparam em preparar alguém para sucedê-los. Isso faz parte do que chamamos de "melhores práticas das empresas modernas". Mas há empresas que pensam de forma diferente.

Devo uma de minhas primeiras promoções ao fato de ter tido um chefe muito ambicioso. Ele me preparou para substituí-lo e se colocou à disposição da diretoria para assumir novos desafios. Resultado: eu fui promovido, mas ele foi dispensado. Na ótica daquela empresa, eu poderia substituir meu chefe com vantagens porque ganharia menos do que ele.

Não tive nenhum drama de consciência com o desfecho inesperado porque eu não havia pedido nada a meu chefe nem conspirei para a saída dele. Mas, dali em diante, fiquei ciente do perigo caso formasse um sucessor.

Embora eu seja totalmente a favor das melhores práticas, eu diria que um chefe ambicioso deve preparar meio sucessor: alguém que saiba bastante mas não o suficiente para assumir o cargo. Se uma oportunidade de promoção surgir, é só acelerar a preparação do meio sucessor. Se não aparecer, o chefe não corre o risco de perder o emprego só porque se encantou ao ler histórias de empresas que adotam as melhores práticas.

Reciclar-se não significa mudar radicalmente

O tempo passa. De repente, chefes olham no espelho e descobrem que têm mais de 40 ou 45 anos de idade e que já são chefes há 15 ou 20 anos. Num mundo em que a tecnologia produz uma novidade por semana, em que as práticas de gestão sofrem mudanças constantes, em que jovens ambiciosos e talentosos chegam ao mercado de trabalho ávidos por oportunidades, o que um chefe mais veterano deve fazer para não correr o risco de ser considerado obsoleto ou ultrapassado?

Mesmo que os resultados do chefe veterano sejam razoáveis e consistentes, os primeiros fios grisalhos já podem começar a provocar comentários. Uma barriguinha mais saliente também. Mas isso não é o pior. O que entrega mesmo é o discurso. É repetir sempre os mesmos conceitos, usando as mesmas palavras, algumas das quais podem ter saído de moda ainda no século passado.

A recomendação é voltar a estudar. Fazer, por exemplo, uma pós-graduação ou um MBA. A vantagem, mais até do que o conteúdo do curso, será o contato com profissionais de outras empresas, para que o chefe veterano possa comparar o que faz e fala com o que eles fazem e falam.

Dito isso, vou tranquilizar um pouco os chefes veteranos, reproduzindo uma piada que li numa revista chamada *Eu Sei Tudo*, de 1927, que achei na internet. A piada dizia que arqueólogos ingleses haviam cavado seu solo e descoberto fios de cobre, o que os levou a concluir que há 500 anos a Inglaterra já conhecia o telégrafo. Arqueólogos portugueses também cavaram seu solo e não acharam nada, o que os levou a concluir que há 500 anos Portugal já conhecia o telégrafo sem fio.

Esta semana, recebi um e-mail com essa mesma piada. Os mesmos arqueólogos, ingleses e portugueses, mas com uma atualização da linguagem. No e-mail, os fios de cobre foram substituídos por cabos de fibra óptica, e a expressão "sem fio" por "wireless". Portanto, reciclar-se não significa mudar radicalmente a maneira de pensar e de agir. Basta que o chefe veterano continue repetindo seus conceitos já comprovados na prática, mas de um modo que eles soem modernos e atualizados. E, sem dúvida, ele precisa continuar obtendo resultados acima dos objetivos e no mínimo iguais aos dos chefes mais jovens.

Como tratar um subordinado que foi um desafeto?

Essa é uma situação que quase todo chefe precisa encarar. Imagine alguém (que pode ser você) que trabalhava em um setor com mais doze colegas e sempre se deu bem com onze deles, mas não muito bem com o décimo segundo. Desde o começo, a antipatia foi mútua. Sem que nenhum dos dois soubesse explicar por quê, um nem conversava com o outro.

Com o tempo, vocês dois decidiram tocar suas vidas e fazer de conta que o outro não existia. Pararam até de se cumprimentar. Só que, um dia, você foi promovido. E sua grande dúvida passa a ser: o que fazer em relação ao colega ignorado que agora se tornou seu subordinado?

Para começar, considere o óbvio. Seu colega deve estar muito mais preocupado do que você. Se ele não pediu demissão assim que a sua promoção foi anunciada, isso quer dizer uma de três coisas: ou ele pretende mostrar que você não serve para ser chefe dele, ou está conformado com a nova situação ou vai ficar só até conseguir outro emprego.

Em qualquer dos casos, você deve chamá-lo para uma conversa. Dizer que lamenta que o relacionamento entre vocês não tenha sido o ideal e deixar claro que você pretende dar a ele o mesmo tipo de tratamento que dará a todos os demais colegas. Ou seja, você vai pedir, cobrar e exigir, sendo sempre ético e justo, porque essa é a sua responsabilidade como chefe. Aí, peça a colaboração dele para que tudo caminhe bem.

Se ele afrontá-lo dizendo, por exemplo, que não concorda com sua promoção, você deve tomar fôlego e dizer, calmamente e sem vacilar, que ele pode pensar o que quiser, mas, na primeira oportunidade em que ele desacatar você, ele será demitido. Se você não fizer isso, perderá a autoridade e o respeito dos outros subordinados. Mas tenha, previamente, a certeza de que você terá o amparo da empresa para tomar essa decisão. Se você demitir o colega e depois tiver de voltar atrás, você não durará muito como chefe.

Ser um chefe democrático é o ideal?

Você é o tipo de chefe democrático que deixa as portas abertas, que ouve todas as queixas dos subordinados e até se dispõe a ajudá-los em casos de problemas pessoais? Que sempre procura usar argumentos convincentes com sua equipe, sem nunca se alterar ou subir seu tom de voz?

Sem dúvida, é assim mesmo que um líder moderno deve proceder. Se a equipe responde a toda essa atenção com motivação, camaradagem e ótimos resultados práticos, então a equação fechou direitinho: um líder moderno e uma equipe de subordinados conscientes de suas obrigações.

Só que nem sempre tudo funciona assim tão bem. Depende da cultura da empresa. Depende do nível da equipe. Vamos supor que seu estilo democrático esteja produzindo o efeito contrário ao que você esperaria. Em vez de agradecer aos céus por ter um líder democrático, seus subordinados estão perdendo o respeito por você.

Vamos então começar pela democracia. A palavra significa "governo do povo", mas, como bem sabemos, não é o povo que está governando o Brasil. São os representantes eleitos pelo povo. Eles, porém, não ficam consultando o povo, por meio de plebiscitos, a cada lei que apresentam ou votam. Em resumo, nós delegamos aos políticos o poder de decidir por nós, mesmo que não gostemos de algumas decisões que eles tomam. Por outro lado, o povo não tem livre acesso aos gabinetes dos políticos. A democracia, nesse caso, é bem relativa.

Já no caso das empresas, não existe uma democracia porque você não foi eleito por seus pares para representá-los. Você recebeu uma delegação vinda de cima, da direção da empresa, para dirigir um grupo. E foi nomeado chefe com um objetivo básico a cumprir, o de obter os resultados práticos que a empresa espera.

Isso não significa que você se tornou uma pessoa melhor que seus subordinados, assim como os políticos não são melhores que o povo. Você apenas foi agraciado com um título temporário e a manutenção desse título dependerá de seu desempenho, que por sua vez dependerá do desempenho de seus subordinados. Se eles não entenderem isso, caberá a você tomar medidas para que eles entendam.

Você está tentando ser gentil e compreensivo em uma posição que exige liderança. Seus subordinados precisam ser informados, gentil e claramente, de que a compreensão e a democracia são fundamentais, mas só vão até certo ponto. O ponto em que a sua autoridade é desafiada. Se isso ocorrer, você precisará assumir a postura de ditador, não porque a aprecia, mas porque seus subordinados não souberam apreciar sua imensa bondade.

O pesadelo de todo chefe: como demitir quem não merece?

Crises acontecem. Nenhuma empresa privada está imune a elas. E quando a crise aperta uma das medidas costuma ser a redução do quadro de funcionários. Por falta de trabalho, já que as vendas caíram, todas as áreas são chamadas a colaborar. Cada chefe é instado a fazer um corte de 20% em sua equipe.

Isso é trágico. Mas, para a sobrevivência da empresa, às vezes é inevitável. Você é chefe e sua equipe é ótima. Todos são dedicados. Nenhum deles lhe deu, até hoje, nenhum motivo para você pensar em demissões. Mas a ordem veio lá de cima e os chefes se tornam agentes dessa medida tão antipática quanto sofrida.

Você pode, é claro, pedir demissão. Dizer que se recusa a demitir qualquer um de seus subordinados. Mas nenhum chefe faz isso. Primeiro, porque ficará desempregado. E, segundo, porque os cortes ocorrerão do mesmo jeito. Então, fica a responsabilidade de escolher os que irão sair e comunicar-lhes a decisão. Qual é a melhor maneira de fazer isso?

Não há uma maneira melhor. Há somente maneiras mais ou menos dolorosas. Para o chefe, o sofrimento será menor porque o momento da demissão encerra um processo interno. Mas, para quem for demitido, o instante da demissão é o começo de um período que pode ser longo e que pode acarretar frustração, desespero ou depressão.

O mais indicado é comunicar a decisão a todos os demitidos ao mesmo tempo, já que o motivo da dispensa é coletivo e não individual. Nesse encontro, você deve estar preparado para três coisas. A primeira é ter dados para demonstrar que a demissão é realmente a última opção e que todas as opções anteriores haviam sido esgotadas.

A segunda coisa é explicar por que aqueles três ou quatro foram os escolhidos, e não os outros. Os mais novos de casa? Os mais jovens? Os solteiros? Os mais capacitados, porque são os que terão menos dificuldades para se reempregar? Não existe um critério perfeito, mas é preciso haver um critério.

E a terceira coisa, a mais importante, é poder oferecer algo além do que manda a legislação. Por exemplo, uma extensão de seis meses do plano de assistência médica. A ajuda na preparação de um currículo. Uma carta de apresentação. A disposição para dar boas informações sobre os demitidos a qualquer empresa que solicitá-las.

E tente evitar os discursos sentimentais, porque eles não irão amenizar a realidade. Você sabe, e os demitidos também, que a decisão do corte foi técnica e racional, e que a empresa não está tomando qualquer atitude ilegal ou imoral. Está apenas defendendo seus próprios interesses financeiros e transferindo o problema para os demitidos. Esse é o lado mais indigesto de qualquer crise. Na hora do "vamos ver", o abacaxi acaba sobrando para quem tem menos condições de descascá-lo.

É importante também que você comunique aos demitidos que eles serão os primeiros a ser procurados quando a crise passar. Aqueles que estiverem disponíveis poderão retornar, se assim desejarem. Dito isso, encerre a reunião. Permitir desabafos nesse momento só irá tornar o momento ainda mais triste do que ele já é. Ser chefe tem seus momentos ruins, e esse é um dos piores. Infelizmente, ele faz parte do pacote de responsabilidades da chefia.

Como negar um aumento de salário?

Todo mundo acha que ganha menos do que merece. E alguns resolvem pedir um aumento. Sendo chefe, você será fatalmente procurado por subordinados que querem ganhar mais. Alguns podem até ter bons motivos, outros podem não ter motivo algum. Na maioria dos casos, porém, você terá de negar o pedido. Como é que um chefe faz isso?

Começando pelo que seria mais fácil: um documento interno chamado "Plano de Cargos e Salários" evitaria a maioria dos pedidos de aumento fora de hora. Esse plano define quanto cada uma das funções vale no mercado de trabalho da cidade ou da região e não quanto a pessoa que está executando a função mereceria ganhar. Ele também prevê os possíveis caminhos para promoções, permitindo que um empregado entenda com clareza onde ele poderá chegar em termos de cargos, dependendo de seu desempenho. Isso só serve para empresas de grande porte? Não. Uma empresa de 20 funcionários pode implantar um Plano de Cargos e Salários. Uma consultoria de recursos humanos faria o trabalho e o valor cobrado seria compensador para o empresário porque o próprio plano iria se transformar num argumento em eventuais discussões salariais.

Mas vamos supor que a sua empresa não tem esse plano. Nesse caso, os pedidos de aumento variam imensamente em termos de exposição de motivos. Por exemplo, o empregado alega que um conhecido, com uma função igual à dele em outra empresa, está ganhando mais que ele. Ou, o que é pior, o empregado argumenta que as contas estão maiores do que o salário, algo que nenhuma empresa tem condições de discutir.

Há chefes que acabam entrando num beco sem saída, dando palpites no orçamento doméstico do subordinado para tentar mostrar que não é que o subordinado esteja ganhando pouco, mas que ele está gastando muito. Há também chefes que, para se livrar da encrenca imediata, respondem que irão ver o que dá para fazer, quando já sabem que nada há que possa ser feito. Isso só transfere a encrenca para mais adiante.

E há ainda o chefe que responde: "Se você não está satisfeito com seu salário, a porta de saída está ali". Essa é uma resposta clara e definitiva, mas o efeito dela é previsível: um subordinado descontente, não somente por ter seu pedido negado, mas também por ter sido tratado sem nenhuma consideração.

Eu tive um chefe, só um, que sabia como negar um aumento com classe. Ele dizia ao solicitante: "Para lhe dar um aumento, eu preciso apresentar uma proposta para a aprovação de meu superior. Para fazer isso, eu preciso que você me prove que pode ganhar mais. Então, eu autorizo você a procurar outro emprego. Se você conseguir uma proposta com um salário maior, eu tenho quase certeza de que meu superior concordará em cobrir a proposta. E se ele não concordar você sairá no lucro, porque poderá mudar de emprego ganhando o que merece".

Nos quatro anos que trabalhei com aquele chefe, nenhum subordinado dele conseguiu trazer a tal proposta de outra empresa, e essa era a melhor maneira de o chefe demonstrar, sem precisar dizer, que a empresa estava pagando o que o subordinado realmente valia no mercado.

O que se espera de um supervisor?

Na maioria das empresas, a supervisão costuma ser o primeiro nível de chefia. É o passo inicial para os cargos seguintes de liderança. Quem é promovido a supervisor deixa de ser mais um e passa a ser observado com mais atenção. Mas o que, exatamente, a empresa espera que o supervisor mostre?

O cargo de supervisor é um período na vida profissional que requer muito bom-senso e, acima de tudo, bastante paciência. Isso acontece porque existem duas visões muito diferentes sobre a contribuição do supervisor. A visão de baixo para cima e a visão de cima para baixo.

De baixo para cima, os subordinados do supervisor (os chamados "prezados colaboradores") o enxergam como alguém que passou a fazer parte da direção da empresa e, portanto, adquiriu influência suficiente para conseguir benefícios e reajustes salariais.

Já de cima para baixo, a direção da empresa vê o supervisor como alguém cuja tarefa é manter o bom funcionamento de seu setor, zelando pela disciplina e pelo cumprimento das metas. Via de regra, o supervisor nunca é consultado por seus superiores sobre planos, estratégias ou qualquer coisa que signifique médio e longo prazo. Seu trabalho é sempre de curtíssimo prazo. Ele é o mantenedor da ordem e o responsável por um ambiente de trabalho produtivo e eficiente.

Nem sempre o supervisor é elogiado, mas ele é sempre o primeiro a ser cobrado se os resultados ficarem abaixo do esperado. Como o supervisor sofre pressões de duas direções, em pouco tempo ele começa a se sentir como o marisco entre o mar e o rochedo. Naturalmente, ele deve investir em seus estudos, aperfeiçoando-se cada vez mais e preparando-se para o próximo passo na carreira. Mas não pode permitir que a ambição influa na execução.

Há alguns anos, em uma reunião de supervisores da empresa em que eu trabalhava, pedimos a cada um deles que escrevesse o que considerava mais importante em sua função. A maioria gastou páginas e mais páginas listando suas atividades. Mas um deles resumiu tudo em uma só linha: "Em minha função, o mais importante é não complicar". Não por acaso, entre todos os colegas, ele foi o que teve mais sucesso na carreira.

E se faltar química entre um chefe e um subordinado?

Você dirige bem a sua equipe. Nunca enfrentou problemas ou conflitos que não tivessem sido rapidamente solucionados. Acontece que você tem um subordinado do qual não gosta. Você nem sabe bem por quê, apenas não gosta dele e, a cada dia que passa, gosta menos. Não é que ele seja um mau funcionário. Tanto do ponto de vista técnico quanto do disciplinar, você não teria motivos para simplesmente dispensá-lo.

Apesar de querermos que o mercado de trabalho funcione como um relógio, com cada peça fazendo sua parte sem emoções, o que acontece nas empresas é o mesmo que acontece em nossas vidas pessoais. De vez em quando, a gente bate o olho em alguém e sente aquela antipatia instantânea e inexplicável. É o que está acontecendo no caso desse subordinado. Simplesmente, há química entre você e ele. Existe alguma coisa que você possa fazer?

Essa antipatia aguda não é incomum no mercado de trabalho. Cada um de nós não precisará pensar mais que dez segundos para se lembrar de um colega de quem não gostava, mesmo que esse sentimento não fosse compartilhado pelos demais colegas. A partir dessa rejeição sem explicação, passamos a enxergar naquela pessoa cada vez mais defeitos, reais ou imaginários, até atingir o ponto crítico da raiva sem qualquer fundamento.

O mais interessante em uma situação como essa é o fato de ela escancarar uma realidade que todos nós conhecemos. Por mais manuais de comportamento que possam ser escritos em empresas, tudo continua dependendo dos seres humanos, que nem sempre conseguem colocar a razão acima da emoção, ou o pragmatismo acima dos sentimentos. Pelo lado inverso, e bom, nesta vida há pessoas que se apaixonam perdidamente e o resto fica se perguntando o que uma viu de tão especial na outra. Em resumo, somos todos normais e isso inclui as nossas eventuais anormalidades.

Portanto, não se torture. Se você sente antipatia por alguém e não sabe por quê, você é humano. Se for possível, transfira o subordinado mal-amado para outro setor da empresa. Essa seria a única maneira de solucionar a questão sem causar danos. O que você sente outro chefe não sentirá, e ninguém sairá prejudicado. Se isso não for possível, então mostre paciência. Se o próprio subordinado não parece sentir por você a mesma ojeriza que você sente em relação a ele, engula seco e comporte-se como chefe. Você não precisa amar do fundo do coração a todos os seus subordinados, mas pode ser correto e isento na avaliação do trabalho deles.

Há alguma vantagem em ser promovido sem aumento?

Isso não deveria acontecer, mas às vezes acontece. Um chefe tem um cargo de confiança. Do ponto de vista jurídico, isso se resume a dizer que ele não recebe nada pelas eventuais horas trabalhadas além do horário normal de expediente. Há empresas, entretanto, em que horas extras são rotina. Uma ou duas por dia. Um funcionário que tenha se acostumado com elas e de repente seja promovido a chefe parará de recebê-las.

Se o reajuste que o funcionário recebeu ao se tornar chefe foi pequeno — digamos, uns 5% —, irá acontecer a última coisa que ele esperaria em uma promoção: começar a receber, como chefe, uma remuneração igual, ou eventualmente até menor, do que aquela que recebia como subordinado. Isso faz sentido? Não seria melhor rejeitar a promoção?

Claro que não, por dois motivos. O primeiro é que hora extra não é salário. É sempre uma situação provisória que até pode se esticar por algum tempo, mas certamente irá acabar em algum momento. Mesmo que alguém esteja consistentemente fazendo horas extras, elas devem ir direto para uma poupança, e jamais devem ser incorporadas ao orçamento pessoal. Assumir dívidas futuras, como prestações mensais, contando com o dinheiro das horas extras, é pedir encrenca financeira.

O segundo motivo é que seu novo cargo de chefe vai lhe oferecer a possibilidade de mudar de emprego, quando você decidir fazer isso, em uma posição hierárquica mais alta. Sua promoção, embora não tenha lhe dado nenhum ganho imediato, até pelo contrário, vai enriquecer o seu currículo. Portanto, use essa situação temporária para aprender o máximo que você puder, principalmente no que diz respeito a liderar equipes. E pode ter a certeza de que essa situação passageira, embora lhe pareça desconfortável nesse momento, em médio prazo será muito positiva para sua carreira.

E se você for vítima de um motim?

Você caiu das nuvens. É um chefe com um estilo de liderança bem *light*. Conversa, escuta, procura entender e relevar eventuais falhas, e perdoar quem errou. Você estava seguro de que esse estilo iria formar um grupo de subordinados homogêneo e dedicado, mas aconteceu o contrário. Você foi surpreendido por um movimento de alguns de seus subordinados para lhe derrubar do cargo. E descobriu isso porque outro chefe lhe contou. Em vez de sair pela empresa elogiando o ótimo chefe que você é, esses subordinados estão fazendo a sua caveira.

Não entre em pânico. Vamos tentar juntar suas convicções pessoais e suas obrigações profissionais, começando pelo sagrado princípio da hierarquia. Esse "sagrado" não está aí para deixar a frase mais bonita. A palavra "hierarquia" veio do grego e significa "as regras sagradas". O mais antigo exemplo delas está no livro do Gênesis. O céu era organizado hierarquicamente, com anjos, arcanjos, querubins e serafins ocupando posições de maior ou menor destaque na escala celestial. E todos viviam num estado de inocência e santidade, cada um no seu devido lugar.

Só que Lúcifer, o mais brilhante dos anjos, tanto que seu nome deriva da palavra "luz", insatisfeito, resolveu afrontar a liderança do Criador. Juntou mais alguns anjos que pensavam como ele e saiu apregoando que não concordava com a ordem das coisas. E o Criador, apesar de sua infinita bondade, não teve dúvidas em preservar o princípio da hierarquia, desterrando Lúcifer e seus adeptos. Ou enterrando, já que a palavra "inferno" significa "subterrâneo".

Numa escala infinitamente menor, já que o seu poder como chefe é relativo, você também teve a sua liderança contestada e precisa recuperá-la rapidamente. Se não fizer isso, a mais provável vítima da situação será você mesmo. Por isso, precisará ser enérgico e expurgar os conspiradores. Depois, já numa posição mais fortalecida, deve conversar com o resto da equipe e estabelecer as futuras regras de convivência e de respeito. Portanto, não há uma solução amena ou passiva para a sua situação. Você está diante de um grande teste e somente irá mostrar que é mesmo um líder se agir como um.

Um subordinado pede para ser mandado embora. O que você faz?

Pois é. Vida de chefe de vez em quando tem seus percalços. Um subordinado seu pediu para ser demitido porque ele quer sacar o fundo de garantia. Você sabe que atender ao pedido dele traria um prejuízo para a empresa porque há uma multa a ser paga nas dispensas sem justa causa. Mas, se você negar o pedido do subordinado, há o risco de ele começar a fazer corpo mole. Qual seria a melhor decisão?

Existem três opções possíveis. A primeira é a de tentar entender os motivos que levaram a essa situação, conversar bastante com o subordinado e tentar recuperá-lo. A vantagem: é mais humano. A desvantagem: você irá gastar um tempo que poderia ser mais bem investido com outros subordinados que gostam do que fazem e querem ficar na empresa.

A segunda opção é radicalizar, informando ao subordinado que, caso ele faça corpo mole, será advertido duas vezes por escrito e depois demitido por justa causa. A vantagem: você passa uma mensagem clara para todos os demais. A desvantagem: não tentar compreender devidamente as razões do subordinado, que podem estar afetando também os colegas.

A terceira opção é atender ao desejo do empregado e demiti-lo sem justa causa. A vantagem: você se livra do problema rapidamente. A desvantagem: além da multa a ser paga, outros subordinados poderão se sentir tentados a usar a mesma estratégia do colega demitido.

Tanto para a empresa quanto para o chefe, nenhuma dessas três opções é boa. E, pode parecer um paradoxo, mas a melhor decisão que o chefe pode tomar é a de não decidir. Ele deve perguntar qual é a posição da empresa diante de uma situação desse tipo. Se a empresa não tem uma posição, precisa ter uma, porque casos assim podem ocorrer em diversas áreas, e é preciso que exista uma determinação que seja aplicável a todos.

A resolução da empresa deve ser publicada, para conhecimento de todos os empregados, e deve ser clara: "A empresa não demitirá quem pede para ser demitido". Aí, caso um empregado decida fazer corpo mole, ele estará infringindo uma determinação geral da empresa, e o chefe poderá aplicar a punição adequada sem dar a impressão de não estar querendo resolver o problema.

Aprenda a solucionar conflitos e a evitar desentendimentos

Pode parecer que não, mas em linguagem corporativa desentendimento é uma coisa, e conflito é outra. A diferença é que conflitos são positivos, porque permitem que duas ou mais pessoas expressem pontos de vista antagônicos sobre determinado assunto, com o objetivo de chegar a algum tipo de acordo.

Já o desentendimento é a falta de vontade para chegar a qualquer acordo. É a discordância sem fundamento, em que alguém tenta fazer sua opinião prevalecer, mesmo sem ter dados para provar estar correta. E, principalmente, é a falta de vontade de procurar esses dados, ou de ouvir os argumentos alheios. Enquanto o conflito é profissional e civilizado, o desentendimento é a discussão que não leva a lugar algum.

Como chefe, você precisa primeiro transformar desentendimentos à toa em conflitos com causa. Como? Interrompendo imediatamente um subordinado que mostrar, já na primeira frase, que não está querendo resolver nenhum problema, está mais é querendo criar um. Aí, sobram apenas os bons conflitos, que se transformarão em medidas práticas se você souber administrá-los. Aqui vão cinco sugestões de como fazer isso:

1. As partes precisam concordar que nenhum dos envolvidos, individualmente, conseguirá resolver o problema sozinho.
2. Antes que as discussões comecem, os envolvidos devem se municiar de dados numéricos e fatos concretos.
3. Mesmo que cada participante tenha certeza de que sua opinião é sem dúvida a correta, deve ouvir com atenção o que os outros têm a apresentar, sem interrupções, críticas ou ironias. Se isso não acontecer, o conflito se transformará rapidamente em desentendimento.
4. Em muitos casos, a opinião de alguém neutro e isento será de grande valia. Convidar pessoas de dentro ou de fora da empresa para opinar só vai ajudar.
5. Assim que uma solução for encontrada, todos os envolvidos devem aceitá-la e trabalhar para que ela seja colocada em prática. A pior atitude é dizer: "Eu não concordo, mas, se vocês acham que tem de ser assim, então tudo bem".

Nas empresas normais, os conflitos são o combustível da eficiência e das mudanças necessárias. Empresas sem conflitos, seja porque só um manda, seja porque todo mundo prefere fazer seu trabalho quietinho e sem incomodar ninguém, acabam se tornando lentas e obsoletas. Existe uma última vantagem. Chefes que incentivam e sabem administrar conflitos profissionais eliminam a maior parte do tempo que é desperdiçado com desentendimentos pessoais.

Seus subordinados pediriam demissão se você fosse demitido?

Você é um chefe que tem a equipe em suas mãos. Ou, pelo menos, você acredita que tem. Pois bem. No meio de nada, surge pelos corredores um boato de que você está para ser demitido. Seus subordinados ficam sabendo e vêm conversar com você. Apanhado de surpresa, você diz que não sabe de nada, mas recebe uma promessa de seus subordinados: se você for mesmo demitido, todos eles sairão também.

Você fica emocionado com essa demonstração de lealdade e decide ir conversar com seu superior imediato para saber se o boato é mesmo verdadeiro. Nessa conversa, a promessa de seus subordinados de abandonar o barco é um argumento que pode usar?

Poder, você pode. Mas não deve. Não porque não seja um bom argumento, mas porque não é verdade. Essa foi uma maneira simpática, mas não sincera, de seus subordinados mostrarem apreço por você. Se sua demissão de fato se confirmar, não espere que uma única pessoa vá abandonar o emprego simplesmente por uma demonstração de lealdade. Muitos chefes já acreditaram nisso e se frustraram. Você não é um profeta com seguidores que se atirariam do alto da montanha. É um chefe que está em terceiro lugar na lista de prioridades de seus subordinados.

As duas primeiras são a família e a carreira, e ambas dependem da manutenção do emprego atual.

O melhor que você pode fazer é agradecer essa demonstração de solidariedade de seus subordinados e dizer a eles que ninguém deve ficar ou sair da empresa por sua causa. Seus subordinados assinaram um contrato de trabalho com a empresa, e não com você.

Por outro lado, não é uma boa ideia você ir conversar com seu superior sobre o boato de sua demissão. Isso passaria uma sensação de insegurança de sua parte, no caso de o boato ser falso, e não resolveria coisa alguma, no caso de ele ser verdadeiro. O melhor é você se preparar para a pior hipótese, a de realmente ser demitido. Continue trabalhando como você sempre fez, mostrando disposição e bons resultados, mas atualize seu currículo e sua lista de contatos. Uma regrinha que vale ouro, em qualquer momento da carreira, é esta: "Se você souber se preparar para ser demitido, dificilmente será".

O que é melhor, ser um chefe crítico ou um chefe silencioso?

Você tem a sua maneira de chefiar. Ela nunca contentará integralmente a 100% de seus subordinados, mas nenhum chefe até hoje conseguiu essa unanimidade utópica. Além disso, você não está em uma posição de chefia para contentar a ninguém. Está ali para obter os resultados que a empresa deseja. A satisfação da maior parte de sua equipe é uma maneira de você atingir esse objetivo.

Dito isso, existe um estilo de chefiar que é melhor que os outros? Antes de ser chefe, eu pensava que existia. Isso porque eu tinha um chefe crítico. Ele tinha uma enorme facilidade para encontrar erros nos trabalhos que eu executava. Eram erros pequeninos, insignificantes, que não tinham nenhuma influência no resultado final. A cada crítica dele, eu ficava mais exasperado, para usar uma palavra bonita que eu nem conhecia na época.

Quando esse chefe foi substituído por outro, eu soltei rojões de tanta alegria. Eu acreditava que qualquer chefe seria melhor e fiquei ainda mais feliz ao perceber que o novo era o oposto do chefe boquirroto. Ele era calado. Tudo o que eu queria na vida. Ou, pelo menos, tudo o que eu pensava que queria. Levei um mês para entender que havia uma coisa pior que a crítica sem fundamento: o silêncio sem sentido.

Como ele nunca dizia nada, eu não sabia o que ele pensava de mim. Se eu caprichasse ou não, a reação dele era a mesma. Cheguei a perguntar se ele estava satisfeito com meu trabalho, e ele me disse que não respondia a esse tipo de pergunta. Menos de seis meses depois, meu chefe anterior, o crítico paranoico, me convidou para voltar a trabalhar com ele. Fui correndo. E nunca me arrependi. Não que eu apreciasse críticas, muito pelo contrário. É que eu preferia ouvir alguém me dizer que eu estava pisando errado do que ficar sem saber onde estava pisando.

É claro que o chefe ideal não é nenhum dos dois. É aquele que dá orientações, que estimula o subordinado, e mais todas aquelas coisas que compõem o manual do bom chefe. Só que nem sempre, ou quase nunca, o subordinado tem o arbítrio da escolha. O chefe crítico foi muito mais importante para a minha carreira do que o chefe distante e omisso. Não é fácil aturar o chefe crítico todos os dias, mas isso passa. Por trás do falatório dele, há lições, certas ou erradas, que serão úteis para toda a carreira. Já o chefe omisso é como um livro com uma capa atraente e com todas as páginas em branco.

Ao definir qual será seu estilo de chefiar, pense em como os seus subordinados atuais falarão sobre você daqui a dez anos. Talvez você agora até ache que não, mas ouvir que soube encaminhar carreiras é o maior elogio que um chefe pode receber.

Como lidar com subordinados insubordinados?

Você foi promovido a chefe de um setor de sua empresa. Esse setor fica em um prédio separado do que você trabalhava. Ou em outro andar do mesmo prédio. Seus contatos com o pessoal de lá não eram muitos, mas sempre foram amigáveis. Só que tudo isso mudou assim que assumiu a gerência. Imediatamente, você descobriu que não seria bem-vindo.

Dois funcionários do setor, que agora são seus subordinados, consideravam que eles é que deveriam ter sido considerados para essa promoção, e não você. E até lhe deram os motivos. Além de vir de outro setor, você tem menos tempo de casa que eles. Você não tem uma boa explicação para oferecer a eles. Você foi convidado, aceitou e ninguém lhe disse que você poderia encontrar resistências. Você sabe que os dois subordinados resistentes são bons no que fazem. Gostaria de poder contar com eles. Como você pode contornar essa situação chata?

Para começar, você não deve ir reclamar com os reponsáveis por sua promoção, caso isso lhe tenha passado pela cabeça. Ao promovê-lo, a empresa depositou em você a confiança para resolver os problemas que aparecessem, e um deles simplesmente apareceu antes do esperado.

Você também não precisa descobrir por que os dois funcionários rebeldes não foram considerados para a promoção, porque a decisão já foi tomada e não será mudada. Além disso, não cabe a você oferecer explicações a quem não foi promovido, e sim à empresa.

Finalmente, você não deve tratar esses dois funcionários nem melhor nem pior que os demais. Você pode dar a cada um dos seus subordinados, a todos eles, uma lista de objetivos mensais, claros e mensuráveis, explicando que cada um deles será avaliado pelos resultados conseguidos, independentemente da opinião que você tenha sobre cada um, ou da opinião que cada um possa ter sobre você.

Aí, semanalmente, você pode repassar com cada um o cumprimento dos objetivos, sem se deixar levar pela raiva ou pela compaixão. Em pouco tempo, os dois rebelados esfriarão a cabeça ao perceber que você está agindo como um chefe equilibrado deve agir.

Saiba como se portar nos almoços de negócios

Tem empresa que adora transformar almoço em reunião de trabalho. Ou vice-versa. Multinacionais costumam fazer isso. Almoços com clientes dão uma impressão de mais eficiência, de melhor aproveitamento de tempo. Além disso, e não menos importante, é a empresa que está pagando.

Mas há algumas regras que devem ser seguidas, principalmente pelos chefes que ainda não estão acostumados a esse sistema de falar de trabalho em um restaurante. E, mais importante ainda, se a mesa for composta por figuras de todos os níveis hierárquicos, e algumas delas tiverem níveis mais altos que o seu. As regras são estas:

1. Evitar ingerir bebidas alcoólicas. Se for impossível recusar, dê golinho na bebida e não toque mais nela, mesmo que os demais estejam entornando garrafões. Os chefões podem até esquecer de como eles se comportaram, mas sempre irão se lembrar de seu comportamento.
2. Jamais falar mal da empresa nem fazer comentários pessoais e indiscretos sobre colegas de trabalho. Limite suas observações às tarefas que você executa.
3. Evitar contar piadas, mas rir das piadas alheias, mesmo que elas sejam sem graça.

4. Respeitar a hierarquia. Se do outro lado da mesa houver um diretor cheio de razão, é sensato concordar com o que ele diz.
5. No mesmo dia do almoço, mande um e-mail para os profissionais da outra empresa, elogiando e agradecendo a companhia deles.

Há chefes que acreditam que esses almoços são perda de tempo e desperdício de dinheiro. Mas é bom lembrar que os pratos servidos e os assuntos discutidos têm menos relevância do que a imagem que o chefe irá deixar. Do outro lado da mesa estão pessoas que podem ser ótimas fontes de referência para uma futura vaga na empresa em que elas trabalham. Não que você esteja precisando disso nesse momento, mas ninguém sabe o dia de amanhã. Por isso, o prato principal de um almoço de negócios não é o peixe grelhado com amêndoas. É o marketing pessoal com inteligência.

Como conseguir o máximo de sua equipe?

Se você é chefe de uma equipe que precisa conseguir resultados de curtíssimo prazo, a conversa com ela precisa ser direta e franca. São cinco descuidos que você deve evitar.

1. Não deixar bem claro o que você espera de sua equipe. Como você irá avaliar o desempenho de cada um? Certamente o seu setor tem objetivos numéricos e eles devem ser repassados aos subordinados, de preferência por escrito, para que não surjam dúvidas na hora de fazer a avaliação.
2. Usar dois pesos e duas medidas. Se você tratou um subordinado de uma maneira, não o trate de modo diferente na segunda vez. Ele vai ficar confuso se você agir assim e não saberá o que esperar nos próximos encontros. E se você tomar uma decisão com relação a um subordinado, por exemplo, abonar um atraso ou permitir uma falta, a mesma decisão deverá ser aplicada a todos. Caso contrário, você será visto como protecionista.
3. Ser negativo. Empresas não costumam dar aos chefes todas as condições materiais para a execução do trabalho. Se algo está faltando, peça ao seu superior, mas não reclame da empresa na presença de um subordinado. Isso só gera baixo-astral. Não é fácil criar um

ambiente de motivação, mas é muito fácil criar um de falta de motivação.

4 Chamar a atenção de um subordinado na frente de outro. Ser criticado em público destrói a autoestima ou cria antagonismo, duas coisas que você não deseja em sua equipe.

5 Não incentivar ideias novas nem permitir que os subordinados possam emitir opiniões. Isso cria um ambiente opressivo que, com o tempo, irá se tornar depressivo. Finalmente, nunca deixe de se autoavaliar. Se você concluir que precisa mudar alguma coisa em seu comportamento, mude sem receio. Ser um bom chefe é também uma questão de aprendizado constante e contínuo.

Ter um novo superior muda alguma coisa?

Você já é chefe há pouco mais de um ano. É educado, amistoso, chama a atenção dos subordinados somente quando necessário e sabe treinar e educar. Com esse estilo, você sempre conseguiu alcançar os resultados esperados pela empresa. Parecia que sua carreira como chefe estava seguindo um caminho sem preocupações, até que um novo gerente foi transferido de outro setor da empresa para o seu e doravante ele será seu superior imediato.

Esse gerente é bem diferente de você. Cobra mais, pressiona mais, raramente dá um sorriso e cismou que você também precisaria começar a adotar uma nova postura: ser mais áspero e mais enérgico em algumas situações porque é isso, segundo ele, que se espera de um chefe. Você ficou pasmo com essa orientação e está em dúvida se deve mesmo mudar sua maneira de chefiar.

Sim, deve. Porque o gerente é seu superior. Não que você deva mudar radicalmente e chegar de manhã ao trabalho ameaçando enforcar seus subordinados se algum deles se atrever a tossir. Nada disso. Mas o fato de estar atingindo os resultados determinados com o seu método de chefe compreensivo e camarada não significa que você está atingindo o máximo que poderia atingir. E seu gerente está lhe dizendo que, com uma postura um pouco diferente em algumas situações, você poderia chegar a resultados ainda melhores.

Em meus tempos de executivo, eu tinha um estilo parecido com o seu. Mais camarada do que pressionador. Porém, nunca ignorei o que um superior tinha a me dizer e só me beneficiei em seguir as orientações que recebi. Seu gerente não está esperando que você se transforme, de repente, em um gladiador sem escrúpulos, que saia empurrando mesas e chutando cadeiras. Uma mudança no seu tom de voz já fará com que ele fique satisfeito por você tê-lo ouvido, sem que você precise deixar de ser o que é.

Há empresas e empresas. Entenda bem a sua.

Você é chefe de um setor que tem dezenas de funcionários. Tantos que, se eles não usassem crachá, você não saberia os nomes de todos. Por exemplo, um teleatendimento. Um *call center*. Um SAC. Apesar de seus esforços, a rotatividade é altíssima. É muito raro um subordinado seu completar um ano na função. Numa situação assim, o que você pode fazer para unir e motivar essa equipe?

Vamos por partes. Um funcionário permanece em uma empresa se forem dadas a ele três condições básicas: uma remuneração razoável, um bom ambiente de trabalho e possibilidades concretas de construir uma carreira.

Começando pela remuneração, ela deve ser compatível com a complexidade do serviço executado. Quanto mais difícil for a substituição de um funcionário, maior será o salário dele. No caso do *call center*, a complexidade é baixa, e por isso a remuneração também é.

O segundo ponto é o ambiente de trabalho. Se os seus subordinados trabalham em baias minúsculas e indistintas, sem possibilidade de circular livremente, conversar e dispor de um tempinho para trocar ideias com os colegas, o ambiente se torna pasteurizado e frio.

E o terceiro fator é a possibilidade de carreira. Num sistema em que a relação entre funcionários e chefia é de um para dezenas, as oportunidades de crescimento são bastante remotas. Dito tudo isso, o setor que você chefia é um bom lugar para um jovem começar a trabalhar. Ele estará sujeito a regras rígidas de execução, numa função que pouco irá exigir em termos de criatividade, mas aprenderá muito sobre disciplina e cumprimento de metas.

Tudo isso certamente não incomoda a empresa porque a substituição de quem sai é bastante rápida, já que os pré-requisitos para contratação são poucos, tanto em termos de escolaridade quanto de experiência anterior. Não estou criticando o formato dos serviços de *call center*. Eles são o que são, por sua própria natureza, e cumprem muito bem o papel a que se destinam.

Mas esse sistema não agrada ao funcionário, que estará sempre procurando opções em empresas que possam lhe acenar com um futuro mais promissor. Você, como chefe, pode contribuir sendo simpático e atencioso com seus subordinados, o que é bom, mas, como os números mostram, é muito pouco para reter a maioria. Portanto, há casos em que o papel de um chefe é limitado. O chefe precisa entender exatamente o que a empresa espera dele; caso contrário, irá se frustrar por não conseguir mudar uma situação que não precisa, por sua própria natureza, ser mudada.

Até que ponto deve ir sua compreensão?

Você contratou um novo funcionário. Ele foi bem na entrevista, tinha uma boa experiência anterior e aceitou sem discutir o salário oferecido. Porém, quando ele já estava trabalhando há quase dois meses, você descobriu que ele havia mentido no currículo. Ao contrário do que estava escrito, ele não havia concluído o curso superior.

Sua primeira reação seria, provavelmente, a da maioria dos chefes: demitir o subordinado por justa causa porque você não tolera mentiras. Mas e se durante o período em que trabalhou com você o mentiroso mostrou ser um bom funcionário? Você, então, chama o subordinado para uma conversa reservada. Vai dar a ele uma chance de se explicar, embora você esteja convencido de que mentira não tem explicação.

Ao ver que foi flagrado, quase certamente ele alegará que exagerou no currículo porque precisava muito do emprego. A reação seguinte é difícil de antecipar. Alguns choram. Outros reconhecem o erro, ficam envergonhados e dizem que aceitarão a dispensa, antes mesmo de essa possibilidade ser discutida. E há alguns que tentam engabelar, inventando uma história pouco plausível, o que só irá piorar a mentira inicial. Se o seu funcionário fizer isso, aí sim você poderá dispensá-lo sem problemas de consciência.

Caso contrário, você poderia fazer algo que não está na cartilha da chefia, mas está no coração de um chefe com sensibilidade: dar ao funcionário um prazo para concluir a faculdade. Isso seria bom para você, para a empresa e, melhor ainda, para a carreira do subordinado. E também diria que a primeira mentira está sendo relevada, mas que a próxima não será, qualquer que seja o tamanho dela.

É bem provável que, agindo assim, você terá um funcionário agradecido e dedicado. Mas talvez você esteja diante de um mentiroso contumaz, algo que você descobrirá rapidinho, porque certamente ficará de olho nele. Mas eu acredito mais na primeira hipótese. Embora haja mentirosos no mercado de trabalho, é preciso acreditar que a grande maioria não é. Como o funcionário em questão não cometeu um erro que renda um processo por falsidade ideológica, nem causou qualquer prejuízo à empresa, você daria a ele uma segunda chance?

Você decide.

A tecnologia o incomoda muito?

Você se sente incomodado quando vê seus subordinados mexendo no celular, lendo e-mails pessoais, acessando a internet ou dando uma conferida nas redes sociais, tudo isso durante o expediente? A maioria dos chefes com mais de 30 anos de idade se incomoda porque vem de uma geração anterior, de uma época em que ainda essas maravilhas tecnológicas que, no trabalho, consomem tempo e causam distração ainda não eram tão disponíveis.

Se você é chefe e se incomoda ao ver seus subordinados fazendo isso, imagine então o que você não está vendo. Você sai para uma reunião, e uma questão fica martelando em sua cabeça: será que seus subordinados estão trabalhando? Será que essa situação deveria mesmo incomodá-lo tanto quanto está incomodando?

Uma coisa é inevitável. A tecnologia continuará oferecendo opções de entretenimento ou informação às pessoas, e não há como evitar que alguém de vez em quando cheque o celular ou o e-mail pessoal para saber se há mensagens, ou acesse a internet para saber o que está acontecendo.

A melhor solução é avaliar o trabalho dos subordinados não pelo tempo dedicado, mas pelo resultado prático. Se você conseguir passar para cada um uma lista diária de tarefas que devem ser completadas e se todas elas forem cumpridas adequadamente, isso deverá ser suficiente para deixá-lo mais tranquilo.

Mas aí provavelmente você irá pensar: "Se os meus subordinados executam todas as tarefas e ficam ciscando no celular e na internet, então eu poderia passar mais tarefas ainda, porque eles têm tempo livre". Talvez isso seja verdade, e talvez você tenha espaço para conseguir um pouco mais de produtividade. Porém, se você começar a inventar tarefas desnecessárias, apenas para preencher 100% do tempo de todo mundo, é bem possível que você consiga o efeito contrário e reduza a motivação geral.

Houve uma época — não faz tanto tempo assim — que não havia celular nem internet e os subordinados iam ler jornal no banheiro, longe da vista do chefe. Hoje, os subordinados estão fazendo isso às claras. Portanto, considere concentrar-se nos resultados e aceite que a tecnologia veio para ficar e irá oferecer cada vez mais opções de distração.

Se você perceber que um de seus subordinados está exagerando, converse em particular com ele para que não influencie negativamente os demais. Mas, de resto, tente ser compreensivo, para sua própria paz de espírito. Até hoje, na história do mundo, quem tentou brecar o progresso sempre acabou atropelado por ele.

Desenvolva sua habilidade para entrevistar candidatos a emprego

Boa parte dos problemas que você poderia ter com futuros subordinados simplesmente não acontecerá se você contratar a pessoa certa. Saber como conduzir uma entrevista é uma habilidade que você, como chefe, precisa desenvolver.

Certamente, antes de se tornar chefe, você passou por várias entrevistas como candidato a empregos. Sabe como é a rotina delas, como os entrevistadores se comportam e o que eles perguntam. Essa é a parte mecânica do processo. A parte realmente importante é: como decidir qual candidato se dará melhor no trabalho, na empresa e no relacionamento com você?

Aqui vão algumas dicas que você poderá aproveitar. Para começar, tenha em mente que o melhor candidato não é o que tem mais diplomas. Se está contratando um auxiliar administrativo e aparece um candidato com dois cursos superiores, uma pós-graduação e fluência em inglês, você só deve contratá-lo se puder lhe oferecer perspectivas de carreira. Caso contrário, ele pedirá a conta em pouco tempo. Ninguém investe tanto em estudos para ser auxiliar administrativo por mais de um ano.

O segundo ponto é a avaliação do temperamento do candidato. Como ele irá interagir com os futuros colegas?

Se você tem uma equipe alegre, faladora, divertida, que se abraça quando chega de manhã para trabalhar, contratar alguém que seja calado e fechado, por melhores que sejam os atributos acadêmicos e técnicos da pessoa, é condenar alguém a ser infeliz oito horas por dia.

Que perguntas você deve fazer? Algumas que são inevitáveis. Por exemplo, "Qual é seu maior defeito?", ou "O que você espera de nossa empresa?". O que importa não é tanto o que você vai perguntar, mas a maneira como o candidato irá responder. Deixando-o falar à vontade, você descobrirá se ele é confuso, enrolador ou exagerado, ou se é pé no chão, disposto a cumprir ordens e ter um bom relacionamento com os colegas.

Com o andamento da entrevista, acredite em sua primeira impressão. Se algo lhe diz que aquela não é uma pessoa que você gostaria de ter como subordinada, mesmo sem saber exatamente por quê, não corra o risco de contratá-la para descobrir. Há uma coisa chamada empatia que não é cientificamente explicável, mas que todos nós sentimos. Por isso, acredite em seus instintos.

Para terminar, coloque-se à disposição para responder às perguntas que o candidato queira fazer. E seja sincero nas respostas. Se você não tiver uma nova função para oferecer em curto prazo e muito menos a possibilidade de acenar com uma promoção, diga isso claramente. Isso já fará com que os muito ambiciosos se revelem, pelos gestos e pelos olhares. Se o serviço for rotineiro, fale sem rodeios. Se o ambiente for de pressão, deixe isso claro. Você não quererá ouvir depois de um mês que não falou na entrevista o que o subordinado passaria depois de ser contratado.

Só isso. Não é física quântica, é apenas um exercício de avaliação e, principalmente, de percepção. Após conduzir uma dúzia de entrevistas, você aprenderá a separar os candidatos que só impressionam daqueles que realmente tornarão sua vida de chefe mais fácil.

A palavra final

Nós somos brasileiros. Temos nossa cultura, nosso jeito e nossas idiossincrasias (uma palavra complicada que impressiona bem em conversas corporativas). Certa vez, recebi um convite para participar de um processo seletivo em uma empresa multinacional para um cargo de chefia. Era uma tremenda oportunidade. A melhor de minha vida, até então. Tudo o que eu precisava fazer era encarar um par de entrevistas e ser melhor do que outros dois candidatos. "Tudo bem", eu pensei.

Pensei cedo demais. A última das entrevistas seria com um executivo gringo, em inglês, e eu não falava mais que dez palavras em inglês. Como bom brasileiro, sempre em busca de compreensão, carinho e passadinha de mão na cabeça, expliquei a situação ao presidente da empresa no Brasil, com a certeza — brasileiro é otimista — de que ele me livraria da entrevista em inglês. Ele me ouviu e respondeu:

— Esforce-se.

Eu quase caí da cadeira. Como assim, *esforce-se*? A entrevista seria na manhã do dia seguinte. Como é que alguém vai conseguir aprender inglês em 12 horas, por mais esforçado que seja? Mas o presidente nem quis ouvir meus argumentos. O verbo que ele usou estava no modo imperativo. Não era uma sugestão, era uma ordem em forma de recado. A entrevista estava marcada, seria em inglês, e cabia somente a mim decidir se continuava no processo ou desistia dele.

No dia seguinte, trêmulo do topete ao bico do sapato, eu levei para a entrevista um bloco de papel e uma caneta e tentei me comunicar com o gringo por meio de desenhos e de mímica. Para minha surpresa, fui aprovado e contratado. Mais que um novo emprego, aprendi a lição mais valiosa de minha vida profissional. A de que existe uma solução para qualquer situação, por mais complicada que ela possa parecer. As coisas não estão acontecendo? Falta reconhecimento? Não há oportunidades? Tudo é difícil? Não dá tempo? A resposta para esses e para todos os outros entraves de uma carreira estará sempre em um verbo e um pronome: “Esforce-se”.

CONHEÇA AS NOSSAS MÍDIAS

www.twitter.com/integrare_bsnss
www.integrareeditora.com.br/blog
www.facebook.com/integrare

www.integrareeditora.com.br